載著流星的人（上）

LOVER METEOR

晨羽——著

小河少年Kawa——繪

Chapter 1

她就快要追上它了。

那是一片一望無際的大草原——其實她也不確定那究竟是不是草原，因爲她正忙著追趕一道剛從頭頂上劃過的光線，根本無暇注意自己身在什麼地方，又爲什麼會在這裡？

她從沒看過這麼美麗的星空。

墨黑、深藍、淺藍、深紫、淺紫、粉紅……不同色系一道道漸層而下，看起來沒有半點衝突，反而更能襯托出鑲在上頭的白色星光。

如此絕美的景色，彷彿置身在另一個世界，她仰頭一瞧，就再也移不開視線。有那麼一瞬，她甚至連呼吸都忘了。

她忍不住伸出手指，想要算算這片天空到底有幾種顏色。才數到一半，有道銀色光線出現在遠方蒼穹，在她眼前劃下一道完美的半圓弧，接著又急速往另一頭飛去，那裡正好是星星最多的地方。

她目不轉睛地盯著那道光，像被牽引似的，邁開雙腳朝它奔去。追了一會兒，她發現光的速度逐漸變慢，開始朝下墜落。她的心裡一陣興奮，眼看那東西越來越近，她就要抓到它了……

一道尖銳的聲音卻在這時響起，彷彿要穿破她的耳膜。她不禁「唉唷」一聲，那片美麗的璀璨星空，也在瞬間被劃破成兩半……

背脊上的一陣天搖地動，嚇得任紀唯立刻驚醒！

手機不知何時滑到背後，她坐起身，抓起手機，螢幕上顯示著沒看過的號碼。她納悶地接起電話，一名男子用著濃重的台灣國語劈里啪啦地講個不停，語速快到沒換氣，卻讓聽的人快斷氣。

紀唯呆呆聽著對方講一堆她聽不懂的話，皺起眉頭冷冷地說：「這位老兄，你打錯了。」

切斷通話，她看到螢幕上的時間——五點五分。

「瘋子啊，清晨五點打什麼電話？還打錯！」紀唯氣得開罵，好不容易做了個美夢，就被神經病毀了。

外頭的一絲日光將窗簾照亮。

紀唯看向窗簾，憶起剛才夢裡的那片星空，心想要不是被這通烏龍電話打斷，說不定她還可以在夢境裡看到更多更美的畫面，甚至已經追到那道銀光了。

回想那道光束，紀唯輕輕咕噥了句：「那應該是流星吧？」

她把手機放到床頭櫃，拉上被子想再睡個回籠覺，期待能再次夢到那個地方。

結果，她大失所望，因爲她再也睡不著了。

★

「喂，任紀唯！」

上學途中，一道男聲自紀唯後方傳來。

一轉頭，她睡眼惺忪的睏倦模樣逗得男孩哈哈大笑，「妳的臉是怎麼回事？」

「沒事啊。」她懶得解釋。

一大早被陌生人吵醒，無法入眠，直到出門上學時，睏意才悄悄突襲，害她現在整個人頭重腳輕。

「確定？看妳一副快昏倒的樣子。」他從塑膠袋裡拿出火腿三明治大口咬下，語氣曖昧，「是不是又跟關旭彥傳訊息到三更半夜？」

「哪有到三更半夜啦？我才沒……」本來還昏昏欲睡的紀唯瞬時清醒，猛然瞪他，「小璦跟你說了什麼嗎？」

「啊？沒有啊！」他眼神閃過一瞬驚慌，正要落跑，馬上被紀唯抓了回來。

「死蔡頭，給我講清楚，小瑷還跟你說了什麼？」

「別問我，妳自己去問她啦！」怕被修理，蔡以鈞逃命似地拔腿往前方衝。

兩人一路跑到公車站。

蔡以鈞綽號「蔡頭」，是紀唯的國中同學。上了高中後，兩人教室在隔壁，因個性投緣，三不五時相約打球跟打電動。

踏進教室，書包都還沒放下，紀唯就走到一名嬌小女生的座位旁。

「親愛的老婆。」紀唯笑容可掬，「出來一下吧，我有重要的事想問妳。」

正在吃早餐的楊心瑷，一看到那張笑臉，整個人僵住。瞥見站在教室外頭的蔡以鈞滿臉歉意地搖搖頭，她知道，自己大難臨頭。

三人站在走廊上，紀唯還未開口，蔡以鈞就先自首，「楊心瑷，歹勢，我不小心說溜嘴，問她關旭彥的事了。」

「沒關係，我猜到了。」楊心瑷白他一眼。她拉住紀唯的手，撒嬌地說：「對不起啦，紀唯，原諒我好不好？」

「不是要妳先別告訴他嗎？妳怎麼說話不算話？」紀唯蹙眉。

「對不起嘛！知道關旭彥跟妳要電話，我太興奮了，忍不住就……」她對紀唯眨眨眼睛，擺出無辜的表情。

蔡以鈞忍不住抱怨，「任紀唯，妳很不夠意思。這麼重大的消息，爲什麼要刻意瞞我？兄弟是這樣當的嗎？」

「重大個頭啦，我跟關旭彥又沒怎樣！」

「最好是沒怎樣，你們現在每天互傳訊息，不就是兩情相悅嗎？」

「我們哪有每天……」紀唯想反駁，卻在兩人看好戲的眼神下，臉頰急速升溫，「總之，事情才不是你們想的那樣，我們只是比較有話聊！」

「喔……」他們笑得更加曖昧。

紀唯語塞，思考著要怎麼避開兩人的打探，這時，有兩名男學生有說有笑地朝他們的方向走去。

與三人擦肩而過時，其中一名染了一頭金髮的男生突地轉過頭，對上紀唯的眼睛，然後離開這條走廊。

注意力被拉走，紀唯恍神了一下，但很快便拉回思緒。她對眼前的兩人說：「反正你們別再亂猜了，也不准告訴其他人，不然我就不跟你們說話！」說完，紀唯匆匆忙忙回到教室。

楊心瑷跟蔡以鈞站在原地面面相覷，不約而同笑了出來。

那是在他們十六歲的春天。

嬌小可愛的楊心瑷，認識紀唯的時間比蔡以鈞更久，雙方母親還是大學同學。

紀唯讀小學時，兩家住在同一條街，因此她和楊心璦天天玩在一塊。升上國中後，楊心璦一家人雖搬至別區，但仍和紀唯讀同一所學校。在認識蔡以鈞後，三人變成無話不說的死黨，經常聚在一起。

性格內向文靜的楊心璦不像他們活潑好動，每當紀唯和蔡以鈞到學校打球，她就去圖書館看書。看到兩人累到癱在地上，她就會拎著兩瓶礦泉水出現。

對紀唯來說，有這對至交是最幸福的事。因爲有他們，她的高中生活才能過得開心又多采多姿。

「來，準備囉！」

男同學一喊，操場的某處立刻安靜，一群人看著站在定點不動的紀唯。

她眼神專注地鎖定在前方，下一秒，她踏出右腳向前助跑，接著急速一衝，瞬間單腳一躍，翻轉身子，騰空過桿，整個人直直倒落在軟墊上！

現場響起熱烈掌聲，紀唯爬起身，看見那把橫桿還好端端地擺在支架上，高舉雙手歡呼。

「任紀唯，眞有妳的，居然跳得過去！」男同學佩服一笑，過去與她擊掌。

「謝謝學長。」紀唯滿臉開心。

這時，一陣刺耳的嗶嗶聲響起，穿著便服的中年男子走過來，一手拿著哨子，另一手指著她喊：「任紀唯，現在是練習時間，妳跑來插什麼花？回妳的田徑隊去！」

「不好意思啦，老師，我只是過來玩一下，馬上閃！」紀唯跳下軟墊，笑嘻嘻地跟老師賠不是，接著跟社員們道別，溜回操場的另一頭。

夕陽將天空染成一片橙黃，朵朵白雲彷彿化身成魚兒，緩慢悠閒地游在無窮無盡的池塘中。

紀唯張開雙手躺在操場上，任汗水滑下額際，一邊調整呼吸，一邊凝視美景。

每次田徑隊的練習結束，她都會躺在操場上休息，聽著從操場另一端傳來的運球聲，以及棒球的打擊聲，享受著微風吹拂在臉上的舒適。這份愜意與滿足感，總會讓她情不自禁揚起嘴角。

「嗨！」

一張面孔驀地擋住那片天空，紀唯愣了一下。

「今天也辛苦囉！」關旭彥俯身看她，遞過一樣東西，「這個給妳。」

「啊，謝謝。」紀唯起身，接過他手中的礦泉水，「你們也練完了？」

「對啊。」他在她旁邊坐下，額上同樣有著汗水滑過的痕跡。

關旭彥大她一屆，同是田徑隊的一員。他不僅學業優異，還經常在各個田徑比賽中獲獎，人氣很高，尤其深受女學生的歡迎。

他們坐在一塊靜靜休息好一會兒，操場上的人也逐漸散去。

關旭彥打破沉默，「結果妳看到幾點？」

「什麼？」

「昨天介紹給妳的影片，那部片有三個小時，妳有看完嗎？」

「哦，有啊，昨天吃完晚飯我就開始看了。看到九點多，很精彩。」

「我就猜妳一定會喜歡。抱歉，昨晚十二點還傳訊息吵妳。妳有睡好嗎？」

「沒有……但不是因爲你。清晨五點多我被一通烏龍電話吵醒，對方打錯了，害我再也睡不著。」

「這麼倒楣？」關旭彥笑起來。

「就是啊，虧我做了一個超美的夢，就這樣被打斷，氣死我了！」

「妳做了什麼夢？」他語氣溫柔。

「我夢到一個非常美麗的地方……我也不知道怎麼形容，反正超漂亮，很不像現實世界會有的地方！」

「聽起來很棒耶！幸好不是我害妳睡不好。」

「當然不是，幹麼想這麼多？」

「因爲每次跟妳聊天，話題一開就停不下來，而且聊完心情都會很好，不可思議。」

紀唯拿著瓶子的手一停，突然不曉得怎麼回話，腦中突然閃過蔡以鈞跟楊心璦今早露出的曖昧笑容。

「是喔？」她莫名緊張，不敢直視對方的眼睛。

「對啊。那……妳呢？妳也會有這種感覺嗎？」

紀唯坐立難安，心跳紊亂，聲音乾啞地回：「算是……有吧。」

關旭彥的嘴角高高翹起，看起來很高興。接著，他開口邀請：「我有件事想問妳。我弟這週末原本要跟他的同學去看電影，但學校臨時要補課，他把電影票讓給了我。如果妳星期六有空，要不要一起去看電影？」

「星期六？」紀唯一怔，隨即婉拒，「那天我跟小瑷他們有約了，抱歉。」

「哦，沒關係啦！那如果我跟妳約下週末，妳願意嗎？」

紀唯又呆了呆，盯著腳邊的幾顆小石子，片刻才點頭答應，「好啊。」

接受了關旭彥的邀請，直到回到家，紀唯都還有些飄飄然。

一打開家門，玄關放著一雙紫色高跟鞋，見狀，她緩緩吐一口氣，換上室內拖鞋，往某間房走去。

女人坐在梳妝台前化妝，發現站在門邊的紀唯，嫣然一笑，「寶貝，回來啦？」

「嗯。」紀唯瞧瞧她的裝扮，「這麼早就下班？要去約會嗎？」

「是啊，今天提早下班，四點多就回來了。」她站起身，展示著身上的寶藍色洋裝，「女兒，妳看媽媽這樣打扮可不可以？」

紀唯走到母親面前仔細打量，滿意地點頭，「非常好看，但我沒印象看過妳穿這件洋裝。沈叔叔買給妳的？」

「對啊，這件很貴，我叫他別送，他還是執意要買。」她笑盈盈坐回梳妝台前。

「眞是個幸福的女人。」紀唯望著鏡子裡的她，「這次穿得這麼正式，要去哪裡吃飯？」

「妳沈叔叔的朋友開了一家飯店，裡頭附設的餐廳很有名，沒預約通常吃不到呢！」語落，任母又說：「唯唯，妳也去準備吧。」

「咦？準備什麼？」

「沈叔叔希望妳也一起去吃飯，所以訂了『四個人』的位子，媽媽就是在等妳回家一起過去。快去換衣服吧。」

紀唯呆愣一陣，將手放在腹上吃力地說：「可是媽，我今天可能不太方便。」

發現女兒臉色不佳，她訝異地問：「怎麼了？」

「今天練完田徑，我就發現生理期來了，現在肚子有點痛。」

「妳這孩子，生理期的時間也不注意一下，還做激烈的運動。」任母忍不住叨念，神色憂慮，「那現在怎麼辦呢？」

「媽，妳去就好啦！妳也知道，我第一天最痛、最累，而且容易拉肚子，我不想用一副不舒服的樣子去跟沈叔叔他們吃飯，這樣很失禮。你們吃就好，不用顧慮我。

幫我跟叔叔說聲不好意思。」

任母沉默片刻，嘆息，「好吧，那妳就在家裡休息。櫃子裡還有治經痛的藥，等等去泡來喝。如果還是很痛，再打給媽媽，知道嗎？」

「好，妳快去吧，別讓叔叔久等了。」

送母親出門後，紀唯不禁深深鬆一口氣，慶幸剛才有問，否則不知情的她跟去吃飯，一定會吃到胃痛，消化不良。

聽到汽車發動的聲音，紀唯稍微拉開窗簾瞧，目送母親坐進一輛黑色轎車離去。

紀唯正要回房換下制服，卻在經過任母房間時，不自覺又走了進去。她靜靜看著梳妝台，回想母親坐在這裡打扮的模樣。

四十二歲的任筱琴容貌姣好，加上保養得宜，看起來就像三十幾歲。紀唯從小就常被朋友稱讚「有一個美人媽媽」，也因此對身邊人們的羨慕眼光習以為常。

梳妝台上放了珍珠項鍊和珍珠耳環，是任母現在的交往對象送她的生日禮物。

任母不乏追求者，但在一起的時間都不長，最短一週，最長一年。

知道紀唯家庭狀況的蔡以鈞和楊心璦，曾打趣地說：「妳可以從一堆叔叔那裡得到禮物」，她還一度擔心價值觀會因爲這兩個損友變得扭曲。

事實上，任母不常介紹男友給她認識。紀唯只見過兩任，第一任是交往一年的那位，第二任就是現在交往的這一位。

若非有意跟對方長久走下去，任母絕不會輕易讓交往對象與女兒見面，因此她的交友關係並不會影響紀唯的生活。

得知母親與沈叔叔開始交往，紀唯還跟兩個死黨打賭，這一任撐不過幾個月。沒想到結果跌破他們的眼鏡，兩人已穩定交往第三年。兩位死黨因此大力祝賀紀唯，認為這次任母的幸福有望，很快就會聽到好消息。

紀唯站在梳妝台前許久，伸手摸摸母親的項鍊，看著一顆顆潔白珍珠在檯燈下閃著璀璨的光，掉入深深的思緒裡。

晚上七點半，任家門口傳來車子熄火的聲音。

盤腿坐在沙發上吃零食的紀唯，聞聲立刻關掉電視，收拾零食，再把客廳的燈關掉，一溜煙衝回房間。

三分鐘後，任母走進她的房間，坐到床邊柔聲問：「寶貝，還好嗎？肚子還痛不痛？」

「吃過藥後好多了。」紀唯從被窩裡露出兩隻眼睛，故作虛弱，「你們這麼快就吃完飯了？」

「妳叔叔不放心妳一個人在家。吃完飯後，我就決定回來了。」任母拿出手機，撥出一通電話，遞到她眼前，「打聲招呼吧，讓他知道妳已經沒事了。叔叔很擔心妳，吃飯時一直關心妳的情況。」

紀唯接過手機移至耳畔，接通後，她輕聲說道：「叔叔，我是紀唯，不好意思，今天沒辦法和你們一起吃飯。」

「沒關係，身體有沒有好一點呢？妳的聲音聽起來很虛弱。」對方聲音渾厚溫柔，語氣盡是關心。

紀唯不禁一陣心虛，「我好很多了，抱歉讓你擔心。」

「別這麼說，好好保重身體喔。下次叔叔帶妳喜歡吃的涼圓去看妳。」

紀唯應了一聲，結束通話，她把手機歸還給母親。

「唯唯。」

「嗯？」

「妳討厭沈叔叔嗎？」

她一愣，納悶瞧著母親，「不會啊，我喜歡叔叔。」

「眞的？」

「當然是眞的，爲什麼這麼問？」

「沒什麼，妳喜歡他就好。」任母露出鬆口氣的微笑，離開了她的房間。

任母突然的提問，紀唯百思不得其解，這時，她腦中冷不防冒出一個猜測——該不會母親已經看出她是故意裝病的？

她對著天花板發呆，轉過身，將一旁的熊娃娃擁在懷中。

任母的現任男友名叫沈昱彰，四十八歲，是一名律師。跟任母交往將近一年多，紀唯才終於見到他。

她記得那天放學，校門口停著一輛黑色高級轎車，一名男人西裝筆挺地站在轎車前，對她揚起親切迷人的微笑。

那時紀唯才知道，對方是瞞著母親過來看她的。

男人沉穩有禮、談吐優雅，在母親的交往對象中，是氣質最出眾的。紀唯真心不討厭他，還對他相當滿意。

對於母親跟他的發展，她當然樂見其成，只是想到他們「結婚」後，就會同住在一個屋簷下，她的心裡多少還是會拉扯。

這份掙扎的心情跟對方並沒有關係，而是基於一個更特殊的原因……

★

「妳這個大笨蛋！」

去合作社的路上，向來溫和的楊心璦開口大罵，嚇得紀唯跟蔡以鈞愣住。

「楊心璦妳吃錯藥？幹麼突然罵人？」蔡以鈞傻眼。

「當然要罵。紀唯，妳怎麼可以跟關旭彥說妳這週跟我們有約呢？」

「不然呢？我本來就跟你們有約了啊。」紀唯滿臉莫名其妙。

「他都開口邀妳去看電影了，妳怎麼可以拒絕？當然要答應才對！」

「哇，哪有這樣的？要是任紀唯眞的因此爽約於我們，我可是不會原諒的。怎麼可以見色忘友？」蔡以鈞眉頭皺起，不以爲然。

「他們好不容易有更進一步的機會，偶爾見色忘友又不會怎樣。身爲好朋友，我們當然要幫紀唯啊！白白浪費一個好機會，眞是的！」

「小璦，妳是在教壞我嗎？」紀唯不可思議地看著她。

「我就是要教壞妳，幸好他還有跟約妳下週末。妳要記住，下次有類似的情況，不能再拒絕關旭彥了，不管他邀妳做什麼都要答應，知道嗎？」

「瘋了。」蔡以鈞搖搖頭，一臉無言，紀唯也是尷尬乾笑。

走進人山人海的合作社，紀唯拿好商品後要到結帳區，不小心與旁邊的人擦撞到肩膀。

「對不……」紀唯眸一抬，整個人倏地僵住。

對方同樣詫異地望著她，那頭金髮搶眼到幾乎占據她的整個視線。

他們昨天早上才在走廊上擦身而過。

看男孩緩緩張口像要搭話，紀唯立刻拉住楊心璦的手，用力往前方擠，不再跟對方有眼神接觸。

離開合作社，在教室前的走廊，紀唯撕開剛買的洋芋片吃了起來。

沒多久，一旁的蔡以鈞出聲：「欸，任紀唯。」

「幹麼？」

「妳躲得太明顯了吧？」

她一頓，佯裝不解，「你在說什麼？」

「還裝。剛剛在合作社看到人跟看到鬼一樣，以爲我們都沒發現嗎？」他動作迅速地拿走一片洋芋片。

紀唯盯著在操場上打球的學生，沒有回答。

楊心璦也湊過來，「對呀，我看他好像很想跟妳說話，妳不理他不太好吧？」

「就是啊，好歹他也是妳未來的——」

「唉呀，我知道！」紀唯打斷，無奈地嚷嚷：「有什麼辦法？我就是不想跟他扯上關係嘛！」

「人家也沒惹妳，妳一直躲著他，不怕他回家跟他爸告狀？」蔡以鈞問。

「不然怎麼辦？我一看到他，身體就自動會躲，控制不了。」紀唯頭痛道。

「其實我大概可以理解紀唯的心情啦！媽媽男友的兒子跟自己同校，還是學長……而且你們之前都沒說過話，一定覺得很尷尬吧？」楊心璦替她想出一套理由。

紀唯揉揉太陽穴，重重嘆息。

楊心璦確實點出某些事實，但這不是最主要的原因。

母親跟沈叔叔交往前，紀唯就已經知道沈叔叔有個大她一歲的兒子。然而，她見到沈叔叔的機會就已經很少了，更別說是見到他的兒子。

紀唯其實並不介意認識對方的兒子。國中時，她就知道那個人的存在，對方也知道她。

如今，兩人碰巧讀同一所高中，紀唯當然會好奇對方是什麼樣的人。因此成為高中生的第一天，她心懷期待地想，對方跟沈叔叔長得像嗎？會不會一樣沉穩儒雅？像沈叔叔那樣充滿紳士氣質的長輩不多見，有這樣的父親，說不定他也會有相似的特質。

即使紀唯還不確定母親和沈叔叔是否會走到最後，但若能和像沈叔叔那樣的「學長」成為朋友，她想，這也是很不錯的事。

帶著期許，紀唯的高中生活開始了。

某天下課，她、楊心璦和蔡以鈞一如往常在走廊上聊天，突然聽到有人大喊：

「沈佑嘉！」

這一喊，他們三人瞬間噤聲，不約而同往樓下看——四名身穿運動服的男學生站在一樓走廊，其中一人手裡拿著籃球，看得出剛上完體育課。

從那四人的交談中，紀唯得知，那個名叫「沈佑嘉」的人，就是有著醒目金髮的男生。她一眼望去還以為看見一頭獅子。

那群二年級學長聊著聊著開始互搶籃球，最後，沈佑嘉搶到了球，開心地要往走廊盡頭衝，一名同學追上去時，不甚踩到第三人的腳，整個人朝沈佑嘉身上一撲，原本要抓住他的手，滑到他的腰際上，之後「砰」的一聲，兩個人倒臥在地！

接下來的畫面，紀唯永生難忘。

那位不小心絆到腳的學長，在跌倒的剎那，手順勢抓住沈佑嘉的褲襠，將他的運動褲跟內褲一起扯了下來，沈佑嘉光溜溜的屁股，就這樣呈現在眾人眼前，那群男生也被這一幕逗得瘋狂大笑。

沈佑嘉趕緊爬起身穿好褲子，面紅耳赤地朝害他出糗的同學吼了幾聲，旋即落荒而逃，消失在走廊上。

在二樓目睹一切的紀唯和死黨們皆目瞪口呆，蔡以鈞含在嘴角的魷魚絲，還因為張開嘴巴而掉了下來。

那個被脫褲子的沈佑嘉學長，就是沈叔叔的兒子。

紀唯原先的美好想像跟期待，在這短短幾秒鐘內徹底幻滅。

經過幾日觀察，她注意到沈佑嘉有幾項特點：活潑好動、陽光開朗、笑起來憨憨傻傻，說話也十分無厘頭。

他注重打扮，時不時就會整理頭髮，就連經過玻璃門或窗戶，也會突然停下，利用鏡面反射瞧瞧自己的儀容跟髮型。紀唯猜測，他應該是個相當自戀的人。

若忽略他那顆誇張刺眼的金色爆炸獅子頭，他五官清秀，笑起來天眞可愛，楊心瑷還稱讚過他像黃金獵犬。

也許是這樣，他頗受學姊的歡迎，即使發生過「屁股被看光」的糗事，他的異性緣仍然不錯，偶爾還能看到他和不同學姊相談甚歡。

有一次，紀唯跟楊心瑷走出合作社，發現沈佑嘉背對著她們，和一群同學聊天。

「欸，我講一個笑話給你們聽。有一天，小明問他爸爸：『爸爸，我是不是傻孩子啊？』爸爸回答：『傻孩子，你怎麼會是傻孩子呢？』哈哈哈哈……」

聽到他說的冷笑話，紀唯忽然湧起一股衝動，想把手裡的汽水從他頭頂澆下去。

自此，她對沈佑嘉的印象，只能用四個字來形容——白痴王子。

她只想離得遠遠的，不要跟他有任何關係。

★

「親愛的小唯唯，最近過得怎樣呀？」

聽到電話那頭的聲音，正在看電視、吃餅乾的紀唯一頓，訝異地問：「筱玫阿姨？妳在哪裡？」

「我在洛杉磯啊。」

「妳的手機怎麼打不通？一直聯繫不上妳，老媽念個不停耶！」

「我的手機前陣子壞掉，送修了，昨天才拿回來。抱歉讓妳們擔心。我們的筱琴小姐呢？她在嗎？」

「她去約會了。」

「還是這麼甜蜜呀？看樣子我們唯唯有新爸爸的日子不遠囉！」

聞言，紀唯懶洋洋地靠著沙發，「阿姨，妳什麼時候能回台灣？」

「怎麼啦？聲音聽起來無精打采的。有新爸爸不開心嗎？我記得妳不是挺喜歡這一任？」

「喜歡是喜歡啊……」想到白痴王子，她煩躁地抓抓頭，「總之一言難盡。阿姨妳趕快回來啦，我想跟妳去玩，也想跟妳聊聊天！」

「唯唯乖，阿姨也想啊！不過這陣子比較忙，還不會這麼快回去。」任筱玫笑了笑，「這麼愛我，乾脆搬來跟我住，我們想去哪就去哪！」

「怎麼可能？老媽才不會放人呢，她沒有我不行的。」紀唯看了牆上時鐘一眼，「老媽應該快回來了，阿姨妳先去忙吧！要照顧好身體，我會跟媽說妳有打來。」

「好，順便跟她說，我會再打給她。我姊姊就拜託妳囉，若有回台灣，阿姨會帶一堆『禮物』給妳！」

「我不要怪物或是野獸的面具喔。」紀唯認眞地說，逗得對方哈哈大笑。

任筱玫是任母的妹妹，今年三十五歲的她至今還是單身，目前在國外工作，是一名專業的化妝師及服裝設計師。

五年前拿到國際特效化妝師的證書後，她就參與許多國際電影的拍攝工作，無論是老人、外星人，還是妖怪，各式各樣的妝容都難不倒她。

任筱玫自學生時期就展現出過人天分，有次她製作一款幾可亂眞的怪物面具，畸形又駭人，然後戴著那副面具跑去找姊姊跟外甥女，把她們母女嚇得尖叫。那時念小二的紀唯，因驚嚇過度放聲大哭，連續三天做惡夢跟尿床，讓任母氣到整整一週都不跟妹妹說話。

任筱玫有一顆調皮可愛的心，紀唯非常喜歡她，相處起來就像是好朋友。可惜她現在長居國外，時常跟著劇組跑來跑去，忙起來很難聯繫上，能相聚的機會少之又少，上次見面也已經是十個月前的事。

紀唯掛上電話，不久，大門開啟的聲音傳來。

當母親走進客廳，她走上前說：「媽，筱玫阿姨打電話來了！」

「終於打來啦？她還在忙嗎？有沒有問她手機爲什麼打不通？」任母將外套掛在牆上，坐到沙發上。

「有，她說她的手機壞了。最近還是很忙，她會再打給妳。」母親揉著肩膀的動作，讓紀唯有些在意，「怎麼了？肩膀不舒服？」

「嗯，有點痠。」

「我去拿痠痛貼布給妳。我有煮一壺麥茶，妳要喝嗎？」

「好啊，謝謝。」一聽到麥茶，任母疲憊的臉上漾起微笑。

紀唯遞過一杯冰涼的麥茶，拿起貼布幫她貼藥。望著母親纖瘦的背影，她開口：「媽，我問妳一件事喔。」

「什麼事？」

「假如……我是說假如，妳眞的跟沈叔叔結婚了，但他要妳辭掉工作，在家裡當個家庭主婦，妳願意嗎？」

任母笑了一下，放下喝到一半的麥茶，轉身面對她，認眞地問：「唯唯，妳知道爲什麼媽媽跟之前的交往對象，在一起的時間都不長嗎？」

紀唯搖頭。

「那些擁有出色成就的人當中，不少人骨子裡十分傳統。他們欣賞我的能力，卻希望有個替他專心照顧家裡的妻子。嘴上說支持我的事業，實際上表現出來的態度又不是那麼一回事。媽媽要的是一個支持我、尊重我的男人，以及願意接受我的一切，包括我的孩子。」

她輕撫女兒的臉蛋，「因此，不管對方條件有多好，我有多喜歡他，只要他做不到這點，就不值得媽媽喜歡，也絕不會是適合媽媽的對象，我絕不會留戀。倘若沈叔叔有表現出一絲絲那種態度，媽媽一定會先放棄他。」

紀唯默然，好奇道：「所以沈叔叔是眞心支持妳的一切？」

「嗯，他明白工作對我的意義，更明白妳對我的意義。兩個人要能長久走下去，除了尊重，對彼此的信任也很重要。在這方面，他給了我滿滿的安全感。」她輕捏女兒的臉，淺笑，「怎麼了？擔心媽媽受委屈？」

「不是，就好奇問問。」紀唯低語。

她比誰都清楚，母親從來就不是會讓自己受委屈的女人，更不可能爲了任何人放棄熱愛的工作。只是這些年來，看著母親含辛茹苦地拉拔她長大，紀唯自然希望她不必再這麼辛苦，可以放下責任及重擔，過著輕鬆的日子。

她始終覺得，若母親身邊有個能放心依靠的對象，對獨自奮鬥多年的她而言總是好的。

再怎麼獨立堅強的人，一定還是會渴望得到幸福。

「這樣……很好。」紀唯輕聲說。

「什麼？」

「媽遇到沈叔叔，我覺得很好。」

任母一愣，眸裡映著喜悅，「那……若能有像沈叔叔這樣的『爸爸』，妳覺得如何呢？」

紀唯沉默半晌，聳聳肩，「我會考慮看看。」

「還要考慮呀？那媽媽得努力賄賂妳了。」任母笑得甜美，「說吧！要怎樣妳才願意點頭？有任何要求儘管說，我跟沈叔叔一定會答應妳。」

「眞的？」

「當然。」

紀唯認眞思考，最後搖頭，「我還沒想到，這個約定先保留。」

任母又笑，捏捏女兒的鼻頭。

事到如今，紀唯幾乎沒再想過母親跟對方分手的可能性。聽了母親說的話，她能肯定，沈叔叔就是母親盼望的那個人。

她喜歡沈叔叔，也希望他們可以繼續過著幸福的生活，但兩人眞的結婚，表示她未來都得跟那個白痴王子打交道。

這些日子以來，她迴避了所有能跟沈佑嘉正面接觸的機會，能躲多遠就躲多遠。就連上次沈叔叔要他們「四個人」一起吃飯，紀唯也是想辦法找藉口推辭。

她可以和沈叔叔自在相處，卻很難跟沈佑嘉坐在同一個餐桌上，光是看到那顆獅子頭，就足以讓她胃痛一整晚。

「希望母親幸福」、「不想跟白痴王子有所牽扯」，這兩種心情不斷拉扯，讓她無比糾結。

煩惱不到一分鐘，她腦袋裡便警鈴大作，發出求救訊號，上億顆腦細胞兵敗如山倒，最後當機。她決定停止再思考，把惱人的問題暫時拋到腦後，放自己一馬。

★

「任紀唯！」

練完社團，滿頭大汗的紀唯尋聲一望，一名短髮女生朝她走來。

「我剛剛在老師那裡看到這幾天的紀錄表，他說妳最近的狀況不太好。生理期來了嗎？」女孩一臉紅潤，胸口明顯起伏，看起來也剛跑完步。

「嗯。」紀唯低應，臉上沒什麼表情。

「果然，我想說妳怎麼退步了，成績跟上週差這麼多。」女孩雙眼微瞇，嘴角一勾，「下週要段考，沒有練習，妳趁這段時間好好休息吧！要是太勉強身體，影響到下個月的運動會，拿不到好成績，老師生氣可就糟了！」

對方一說完，背著書包的楊心璦正好走到紀唯身邊。她對著女孩不滿地道：「紀唯又不是故意的，她身體不舒服啊，爲什麼要對她說這種話？」

女孩瞧瞧楊心璦，一派輕鬆地笑，態度悠然，「我又沒說什麼。」說完便拎起外套，甩頭離開操場。

楊心璦眉頭緊皺，忍不住對著她的背影抱怨，「何詩詩眞的很奇怪，幹麼跟妳講這些有的沒的，好像下個月的比賽若不順利，就全是妳害的一樣！」

「她愛酸我又不是這一兩天的事，不必理她啦！」紀唯拿起水瓶，仰頭就灌。

「我看她根本是怕妳贏過她。妳們的跑步成績一直都不相上下，老師也很看好妳。何詩詩一定是見不得妳好，才愛講這些冷嘲熱諷的話。」

「別氣，用不著爲這種人不開心。」紀唯不以爲意地拍拍她肩膀。她望了四周，「蔡頭人呢？」

「他先去麥當勞了。」一改前一刻的不悅，楊心璦笑了起來，「我們快走吧，吃完再搭車去小巨蛋，應該能趕上演唱會！」

兩人快步到麥當勞與蔡以鈞會合，三人享用著晚餐。

楊心璦將剛才的事告訴蔡以鈞，男孩嘆一口氣，嘴裡咬著漢堡，口齒不清地告訴紀唯，「何詩詩果然把妳當作她的頭號競爭對手了。兄弟，妳要保重，當心遭到暗算。漫畫裡都是這麼演的。」

「多謝你的提醒。」紀唯白他一眼，一口氣抓起五根薯條吃下去。

「不過，何詩詩說的話，倒是讓我想起一件事。」楊心璦看著他們，「下禮拜的段考，你們兩個沒問題吧？」

兩人聞言當場僵住。蔡以鈞露出如胃痛般的痛苦表情，「喂，現在別提這個好不好？今天有我們期待已久的演唱會耶，這兩個字會害我消化不良、心情不好啦！」說完，他也問了坐在對面的紀唯：「兄弟，妳有沒有沒問題？」

「哼哼，我已經想好對策了。」紀唯一把攬過楊心璦的手，笑得賊兮兮，「我打算明晚就把小璦擄到我家，在段考結束前都不放人，連睡覺都要在一起。」

「靠！任紀唯妳太不夠義氣了，不是說好有福同享、有難同當的嗎？」蔡以鈞驚慌抗議。

「歹勢啦，兄弟，段考例外。誰叫我們三個裡頭，就小璦的功課最好，我當然得馬上逮人，哈哈哈！」紀唯得意大笑，將人摟得更緊。

楊心璦嘆氣搖頭，一副「就知道會這樣」的無奈表情。

「對了，我差點忘了！」紀唯放開楊心璦，在書包裡東翻西找，拿出一盒東西，「小璦，這個保養霜是我媽要給阿姨的，麻煩幫我拿給她。我媽說，這適合給皮膚乾燥的人使用，擦上去很滋潤。」

楊心璦接過，看了看包裝，吃驚地說：「我知道這牌子，這個保養霜很有名，價格也不便宜，我媽想要好久了！」

「有個在化妝品公司上班的媽媽還眞好，隨時有好康可以拿。」蔡以鈞把剩下的

漢堡一口吞下，接著認眞打量紀唯，納悶地問：「奇怪，筱琴阿姨長得那麼漂亮，爲何女兒卻沒有遺傳到她的美貌呢？」

「眞是不好意思，我沒有像我媽那樣美，讓你失望了！」紀唯怒目一瞪。

蔡以鈞不怕死地繼續說：「阿姨看起來年輕貌美，身材又好，說起話來輕聲細語，超級有氣質。任紀唯，妳眞的要跟阿姨多學學，妳們除了皮膚一樣白皙，沒有其他相似之處，太慘了。」

「你很賤耶！」任紀唯在桌子下大力踢他一腳。

楊心璦笑笑地說：「哪有這麼誇張？紀唯還是很有魅力的，不然關旭彥怎麼會被她吸引？對不對？」

紀唯頓時不知道回什麼，默默地又吃下幾根薯條。

這時，蔡以鈞不以爲然地說：「代表關旭彥的眼光有別於一般人。我看，關旭彥也沒有長得特別帥，爲什麼一堆女生都那麼迷他？」

「唷？這麼酸葡萄？就坦白說你嫉妒人家嘛！」紀唯哼哼嗤笑。

在兩人吵嘴之時，楊心璦不經意地往身旁一瞥，下一秒，她用力拉著紀唯，「紀唯！」

「怎麼了？」

「是沈佑嘉，他也來麥當勞了！」

紀唯跟蔡以鈞瞬間安靜，順著她的目光一望，果眞發現那顆獅子頭。

沈佑嘉跟幾個男同學嘻嘻哈哈地走到其中一桌。他拉開椅子正要坐下，視線卻不經意地與紀唯對上。

紀唯心一驚，立刻將頭轉回，心底暗自祈禱白痴王子沒有注意到她。

耳邊不斷傳來蔡以鈞小聲叫她的聲音，吵得她不耐煩，焦躁地喊：「幹麼啦？」

「沈佑嘉他……」蔡以鈞愣愣望著她後方，「朝我們這裡走過來了。」

紀唯能感覺到背後有人緩緩靠近，還來不及反應，腳步聲就在她的右後方停下。腦袋一團亂的紀唯，還沒想到怎麼辦，就聽見一道呼喚：「任紀唯？」

紀唯渾身僵硬，遲遲沒回頭。

沈佑嘉連書包都沒放下，就這麼到紀唯的身邊。因爲看不見對方的臉，他沒辦法判斷她的狀況，他表情認眞地問：「上次……我聽筱琴阿姨說妳的身體不太舒服。」沈佑嘉緩慢的語調，帶著一絲小心翼翼，「妳有好一點了嗎？」

沒料到沈佑嘉會直接過來跟紀唯說話，楊心璦跟蔡以鈞當下都沒出聲，屏息望著這兩人。

面對沈佑嘉的關心，紀唯盯著桌子不動，過了十秒鐘才低聲回應：「嗯。」

沈佑嘉露出放心的笑容，來不及再開口，紀唯就對眼前的死黨說：「時間差不多了，我們該走了吧，不然來不及看演唱會！」

楊心璦跟蔡以鈞瞄了沈佑嘉一眼，蔡以鈞支吾道：「對，我們差不多要走了。」

直到走出店裡，紀唯都沒有正眼看過沈佑嘉。

逃離麥當勞，她靠著路邊的電線桿，渾身虛脫。

「沒事吧？兄弟。」蔡以鈞忍住笑意問。

「我快嚇死了。」紀唯面無表情道。

「我也是，想不到沈佑嘉會過來找妳，連我都跟著緊張！」楊心璦也忍俊不禁。

「他好像挺關心妳的。妳就乾脆面對現實，試著跟他相處看看。雖然他常做一些丟臉的蠢事，但感覺人並不壞。」蔡以鈞勸道。

「唉，別說這些了，我的頭好痛。」

紀唯無力扶額，拉著他們前往小巨蛋，不讓這話題延續。

★

和沈佑嘉在麥當勞的不期而遇，讓紀唯躲他躲得更徹底。

她沒想到為了不跟他一起吃飯而編出的謊，居然會讓他如此惦記，還當著彼此朋友的面直接找她交談。

他是故意的嗎？但想起他那張傻里傻氣的笑臉，她又覺得不太可能。

事後幾天，她沒有從母親口中聽到什麼，表示沈佑嘉沒把這件事告訴他爸，要是沈叔叔得知她不禮貌的舉動，並告訴母親，她鐵定會被責罵。

「紀唯，妳怎麼啦？」

楊心璦關心的呼喚，拉回紀唯飄遠的思緒。

「沒事。」紀唯笑著搖頭，放下手中的筆，大力伸伸懶腰。

段考的第二天，楊心璦在紀唯家過夜，兩人一起念書。

看著參考書上的歷史人物、年代、事件，紀唯讀不到半小時就腦袋放空，忍不住又想起沈佑嘉的事。

「紀唯，來，這個給妳。」幾分鐘後，楊心璦放下螢光筆，將手上的東西交給她，「要全部看完喔。」

「這是什麼？」

「我幫妳準備的講義，有十張。這次老師考的範圍比較大，不是很好讀，所以我整理了我平時的筆記，再用螢光筆畫重點。只要讀完這些，明天的考試應該就沒有什麼問題了。」

講義上的字跡秀氣整齊，重點都被細心地標示出來。紀唯一愣，「小璦妳剛才一直拿著螢光筆畫來畫去，就是在幫我畫重點？」

「對呀，這樣妳會看得比較快。妳不是最討厭這種要背一堆東西的科目嗎？所以我就——」還沒說完，楊心璦就被一股重重的力道擁住。

紀唯衝去擁抱她，往她臉頰上用力一親，「謝謝小璦，我就知道妳最好，我愛死妳了！」

儘管早知道紀唯會有這種反應，但面對她如此熱情的舉動，楊心璦還是有些害羞，「好啦，我知道了，妳冷靜一點！」

「冷靜不下來啦！小璦妳太可愛了，我要再親妳一下！」

她嘟起嘴，逼近對方，見狀，楊心璦馬上伸手阻擋。兩人不斷尖叫大笑，玩鬧一陣才停止。

「唉，身爲兄弟，還是不該這麼不講義氣，也給蔡頭看一看好了。」紀唯翻翻講義，叼著筆閱讀著。

「可是已經十點了，妳什麼時候要把講義給他？」

「明天，考前五分鐘，哈哈哈。」

「妳好壞！」楊心璦噗哧一聲，「對了，這麼晚了，筱琴阿姨還沒回來嗎？」

「嗯，要加班，這個月她的公司比較忙。」

「好辛苦喔。」

「對啊，不過現在有沈叔叔在她身邊，我不必太操心。多一個人幫忙照顧那位大公主，我媽就不會把所有注意力放在我身上，我就能輕鬆點，少聽一些嘮叨啦！」

「就是啊。」楊心璦莞爾，「紀唯，妳眞的很了不起耶。」

「爲什麼這麼說？」

「因爲……妳都不會把事情往壞處想，就算碰到壞事，也能用樂觀的態度去面對。就連筱琴阿姨的事，妳也能一直保持開朗的心情。」

注意到紀唯投來的目光，她倉皇解釋，「我、我不是對阿姨的行爲有意見喔，我也很喜歡筱琴阿姨！只是我想到……如果是我，看到媽媽和爸爸以外的人在一起，對象還不只一個，我的心情應該會很複雜。雖然我理智上知道，筱琴阿姨很漂亮，會被追求很正常，可是如果是我遇到這種情況，未必有像妳一樣的胸襟。即使能理解，也不一定可以完全接受並釋懷。所以，當我看到妳是眞的爲阿姨好、希望她幸福而祝福，我就覺得很了不起。跟妳比起來，我的心胸實在太狹窄了！」

「妳這傻瓜，想這麼多幹麼？又不是妳的問題，我本來就是個怪胎！」紀唯哈哈笑，「我習慣了，才可以這麼豁達！我愛我老媽，也相信她的選擇，要是她孤家寡人，一個人過下去，我也會不捨。幸福可遇不可求，能把握的話，當然要努力把握。而且現在不能接受，不代表未來不能接受啊。我相信只要努力去了解，就沒什麼心情是過不去的啦！」

「是呀。」楊心璦若有所思地道：「我也希望能和妳一樣，永遠都充滿樂觀與自信，遇到挫折跟傷心的事，也不會輕易哭泣，很快就能振作，並懂得激勵跟鼓勵自己。這是很棒的能力。」

「妳眞的這麼想？」紀唯挑眉。

「當然，妳所有的優點當中，我最喜歡的就是這一點。」她笑容甜美。

「看來某人又想被我親了。」紀唯放下講義，離開座位。

楊心璦嚇得連忙搖頭，笑著求饒，「哇，對不起，我不說了，妳趕快念書啦！」

求饒無效，她們在房裡妳追我跑，笑鬧聲不斷，一路玩到任母回來才停止。

★

段考結束，紀唯跟死黨們講好去唱歌慶祝，卻收到關旭彥的訊息。

楊心璦好奇，「是關旭彥？他說什麼？」

「他問我有沒有空？想跟我見個面。」

「有空，當然有空！紀唯，妳趕快去見關旭彥，快點！」

「喂，那唱歌怎麼辦？我可是打了好幾通電話才終於訂到包廂！」蔡以鈞詫異。

「沒關係啦！這週那麼忙，他們根本沒時間見面。紀唯，不用管我們，妳快去找關旭彥吧！」楊心璦催促。

「可是……」紀唯兩難，看到蔡以鈞投來「見色忘友」的譴責目光，想著如果放他鴿子，之後鐵定會被酸到沒完，於是她說：「不然這樣，我先去找關旭彥，看他有什麼事，談完後馬上去找你們！」

蔡以鈞露出「這還差不多」的表情，「那我跟楊心璦就先過去，妳可別拖太晚，不然唱歌的費用都妳來付！」

楊心璦用力瞪他一眼，「沒關係，紀唯妳不用顧慮我們，我們會等妳的。快去吧，不要讓關旭彥等太久。」說完，她拉著蔡以鈞往校門口走，嘴裡叨念：「你別那麼掃興好不好？」

看著兩人離去的身影，紀唯搔搔臉，往約定地點快步奔去。

操場上沒什麼人，餘暉將校園染上溫暖的顏色。

關旭彥背著書包坐在司令台上，看見紀唯跑來，立刻跳下走到她身邊。

「嗨，好久不見！」紀唯打招呼。

「好久不見，考得怎樣？」

「只能說盡力了。你呢？」

「跟妳一樣盡力了，但應該沒什麼問題。」

「當然，資優生耶！你當然不會有問題。」她哈哈笑，指著附近的自動販賣機，「我有點渴，先去買點喝的，也請你一罐。」

「眞的？謝謝。」他眸裡含著喜悅。

兩人喝著麥香紅茶，走在通往校門口的樹蔭小道。這時，關旭彥打破彼此間的寂靜，「段考結束後就是運動會，時間有點緊迫，妳應付得來嗎？」

「沒問題，別小看我。這幾天一直閉關念書，快悶死了，等不及換上運動褲狂奔操場一圈。我現在可是蓄勢待發，準備好大顯身手！」紀唯轉轉手臂又摩拳擦掌，眼裡盡是期待的光芒。

關旭彥對她的回答毫不意外，凝視她的眼裡一片笑意，「那妳媽媽有沒有可能會來運動會？」

「咦？爲什麼這麼問？」

「我是替我朋友問的，上個月妳不是在社群上分享一張妳跟妳媽媽的照片？他們看到了，很驚訝妳媽媽這麼漂亮，所以好奇她那天會不會來幫妳加油？畢竟我們學校的運動會向來辦得盛大，很多家長都會來。」

「哼，居心不良。所以你也想見我媽？就爲了這種事找我？」紀唯斜睨他。

「當然不是啊，我是因爲想見妳才找妳，不會跟著他們瞎起鬨！」他馬上澄清。

那句「我是因爲想見妳」，讓紀唯的心跳不禁加快。

關旭彥又說：「但若能見到妳媽媽也不錯，我第一次打電話到妳家找妳，就是她接的電話。那時我跟阿姨聊得挺愉快，希望有機會正式地向她打招呼。」

聞言，紀唯忍不住看他幾眼，好奇開口：「你……不會在意嗎？」

「在意什麼？」

「我是指，你聽我說過一些家裡的事，包括我媽和他男朋友之類的……這些不會讓你難以理解，覺得複雜嗎？」

關旭彥眨眨眼，理所當然地回：「我不這麼覺得。妳媽媽人美心善，受歡迎很正常，交過幾個男朋友也不是什麼稀奇的事。」

停頓一下，他繼續說：「感覺妳媽媽很容易被人誤會，妳也會聽到一些言論，但我知道妳們感情很好。也因此我很佩服妳個性開朗，從不輕易被流言蜚語影響，妳的想法跟態度，一直都讓我很欣賞，眞心認爲這樣的妳很棒、很有魅力。」

對方不帶掩飾的讚美讓紀唯臉頰泛熱，下意識多喝幾口飲料，「你確定我不會被影響？搞不好我會私下報復。」

他噗哧一聲，口氣溫柔，「妳不會的，我了解妳。」

紀唯再也無法直視對方，心跳聲無比清晰。越緊張，紅茶就喝得越急，還差點被嗆到。

「運動會結束後，要不要再約？」

「什麼？」紀唯愣住。

「這陣子沒什麼時間可以玩樂，等運動會結束之後，我再找妳出去玩。」他表情靦腆，眼神卻很認眞，「可以嗎？」

紀唯的心跳重重漏跳一拍，點點頭，「好啊……」

擁有一對知心好友，在熱愛的田徑隊一展長才，以及逐漸萌芽的戀情，為紀唯的生活添上鮮豔豐富的色彩，過著充滿快樂和喜悅的日子。身邊每一個小小幸福，都讓她的心無比充實。

★

只是這樣歡快的心情，在她升上二年級的那年暑假，母親正式宣布再婚消息後，暫時畫下了休止符。

當母親坐在她的床上，說出「媽媽要和沈叔叔結婚了」的那一刻，紀唯抱著熊娃娃，「咚」的一聲摔倒在床上。

任母被她的反應逗笑，「怎麼了？打擊很大嗎？」

「沒有啊。」這天遲早會來，但親耳聽母親宣布，她的腦袋還是瞬間一片空白。

「是沈叔叔跟妳求婚的？」

「是啊。」

紀唯馬上爬起身，表情嚴肅地盯著母親，「沈叔叔知道妳過往的那些情史嗎？」

「他知道啊。」

「也知道妳不太喜歡做家事？」

「嗯。」

「知道妳不擅長煮菜？」

「嗯。」

「知道妳很愛哭，光是看一部韓劇，就可以哭個三天三夜？」

「嗯。」

「也知道妳在家裡跟在外面完全不一樣？」

「嗯……」

「知道妳一生起氣來，可以好幾天不理人，脾氣差到不行？」

「喂，怎麼這樣說妳媽！」任母用力捏了女兒大腿一下。

紀唯痛得「唉唷」一聲，摸摸被捏的地方無辜道：「我是爲妳跟沈叔叔好才問的，要是你們住在一起，漸漸露出眞面目，發現彼此跟想像的不一樣，傷害到感情，不就糟糕了嗎？」

「所以妳是爲沈叔叔著想，擔心他被妳媽嚇跑？」任母挑眉。

「也不全然是這樣，我是眞心爲你們兩個好。眞是的，都不了解我的苦心！」紀唯咕噥，又倒回床上。

任母莞爾凝視女兒，摸摸她的頭，「如果妳眞的擔心，後天晚上就和我們去吃飯，妳可以直接問他。佑嘉也會來，這次妳不許再找藉口推掉了！」

紀唯無力闔眼，發出痛苦的哀鳴。果然，母親早就將她的心思看進眼底，知道她每次逃避四人飯局，就是爲了躲沈佑嘉。

事到如今，她不得不面對現實。想到要跟那個白痴王子一起生活，紀唯就崩潰到想放聲尖叫！

「這次妳可以跟佑嘉好好聊一聊。他很善良，是個很好的孩子，媽媽很喜歡他，讓他成爲妳的手足，我眞心覺得是一件好事。」說完，任母拍拍她的屁股，就離開房間。

紀唯賴在床上許久，拿起手機向死黨們報告這個晴天霹靂的消息。

很快地，她就收到楊心瓔的回應。

「阿姨眞的要結婚了？恭喜恭喜！既然如此，妳就試著和沈佑嘉相處看看吧，我相信妳沒問題的。加油！」

過不久，蔡以鈞也回覆她了。

「該來的還是躲不掉，那位獅子王終於要成爲妳的哥哥了。獅子妹請多多忍耐，別因爲他太白痴，一不小心就失手把他做掉了，哈哈哈！」

「死蔡頭！」紀唯咒罵一聲，把手機丟一旁，拿起枕頭用力蓋在臉上。

未來的沈家四口，在兩天後首度聚首。

桌上都是紀唯喜歡的海鮮料理，她卻沒什麼食欲，反觀其他三人完全沒這個困擾，一邊談笑風生，一邊吃得津津有味，氣氛歡樂。

「紀唯，這些都是妳愛吃的，多吃一點。」沈父說。

「好。」她頷首，勉強吃下幾口。不經意地抬頭時，她的眼神剛好接觸到那頭金毛獅王的視線。

從進來餐廳到開始用餐，這期間紀唯一直感覺到沈佑嘉投來的目光，她感到渾身不自在，坐立難安，恨不得用手指狠戳那雙眼睛，叫他別再看了！

「想到以後每天都能『一家人』一起吃飯，就覺得很高興。對吧？佑嘉。」沈叔叔問著兒子。

「呵呵，對啊。」沈佑嘉愉悅地回答。

沈佑嘉的那句「對啊」，讓紀唯忍不住抬起目光。

她其實有點懷疑，這到底是不是他的眞心話？一般人面對這種場合，多少都會有些尷尬，或是心中有疙瘩，但這傢伙面對自己的家庭即將發生巨大轉變，表現出的態度卻比她更無所謂，彷彿眞的樂於接受。

「紀唯，對於我們以後一起生活，妳願意嗎？」沈父凝視著她，「我和妳媽都希望可以得到妳的祝福。」

話題突然轉到她身上，紀唯拿著餐具的手一頓。她在三人的視線下吞吞吐吐地回：「我、我一直是贊成的，我很高興看到你們有好結果，眞的！」

語落，她也認眞盯著對方，「不過，沈叔叔眞的已經想清楚，決定選擇我媽了嗎？要不要再考慮一下？」她誠心提出建議。

紀唯被母親用手肘使力一推，叉子上的肉塊掉回餐盤裡，滑稽的模樣讓沈叔叔掩嘴笑了起來。

他眼角因微笑浮現了細紋，使他看起來更具魅力。而他身旁那位，因爲放聲大笑而被食物噎到，咳得滿臉通紅。逗趣的樣子，讓人不禁爲這對父子的差距感到神奇。

而且，她明明在跟沈叔叔說話，這頭蠢獅究竟跟著狂笑什麼？

「紀唯，我是經過深思熟慮，才選擇妳母親做我下半輩子的伴侶。所以不管發生什麼事，叔叔都不會後悔，妳放心好了。」他伸出左手，越過桌面握住任母放在餐桌上的右手，彼此甜蜜對視。

「老爸，拜託不要在這裡放閃啦，我都起雞皮疙瘩了！」沈佑嘉摸摸手臂，大力抖了一下。

說也奇怪，看著眼前這一幕，紀唯突然說不出話，有種奇怪的感受卡在胸口。

她不曉得那份情緒是什麼？更不曉得怎麼會有這種感覺？這兩人相親相愛是她本來就知道的事，會這麼做再正常不過……

茫然不解的她，拿起湯匙低頭喝湯，不發一語。

由於紀唯刻意迴避，她和沈佑嘉在餐桌上沒說到半句話，而兩個大人似乎也留意到了，離開前，沈父對兒子說：「佑嘉，我跟筱琴阿姨要去買東西，你可以送紀唯回家嗎？」

聞言，紀唯慌了，「叔叔，我自己回去就好，我們家不順路，這樣太麻煩了！」

「唯唯，就讓佑嘉送妳吧，這樣媽媽比較放心。」任母說完，微笑看著男孩，「佑嘉，可以麻煩你嗎？」

「沒問題，交給我吧！」沈佑嘉爽快答應，整個人精神奕奕。

紀唯臉上三條線，心涼到谷底。

沈父跟任母離開後，紀唯也轉身離去，見狀，沈佑嘉趕緊跟上。

兩人一前一後地走，沒有一句交談。

此時，涼涼的雨霧從天空飄下，紀唯這才發現下毛毛雨了，立刻將連身帽戴上。

突然想起沈佑嘉今天只穿著一件單薄T恤，身上沒有能遮雨的東西，她停下腳步，轉身與他面對面。

沈佑嘉沒料到她會突然回頭，趕緊踩煞車，表情驚訝。

「下雨了，你不必送我了，回去吧。」紀唯打破沉默。

「沒關係啦，只是小雨。」他搖搖頭，頭髮上的幾滴雨珠順勢被甩出。

這畫面讓紀唯腦中浮現出，一頭溼漉漉的獅子，正在把身上的毛給抖乾……

「現在才八點，不會有什麼危險，而且我家和你家完全不順路，等你回到家就不知幾點了，若感冒怎麼辦？」

「可是我答應筱琴阿姨要送妳。妳放心啦，這點雨對我來說眞的不算什麼。」

「我會跟我媽說你有送我，你不必擔心被拆穿。」

「這樣不就等於騙人嗎？我還是送妳回去比較好！」他堅持。

「我不……」紀唯忍住想罵人的衝動，瞪了他一眼，決定不管他，甩頭就走。

半小時後，紀唯在一棟民宅前停下，從包包裡抽出鑰匙，準備開門進屋。

沈佑嘉狼狽地站在一旁，整個人氣喘吁吁。自認體力還算不錯的他，這種時候也無法與身爲田徑隊員的紀唯相比。一口氣走了這麼長的路，即使不流汗，也會呼吸急促，紀唯卻始終面不改色，連個喘息也沒有，根本看不出走了快三十分鐘。

雨已經停了，沈佑嘉看著紀唯打開鐵門，對他說「謝謝」和「再見」就要進屋，連忙喊：「任紀唯！」

對上她的眼睛，他話聲緊張，「可以跟妳聊一下嗎？我有事想問妳。」

紀唯蹙眉，默默退到門外，「什麼事？」

「就是……爲什麼妳在學校都不肯理我？」

沈佑嘉的直接讓紀唯有些愣住。

面對那雙充滿困惑的眼眸，她疲憊闔眼，心想總不能直接回答「因爲你實在太白痴，所以不想跟你有所牽扯」吧？

「有嗎？」她決定裝傻。

「呃……我有好幾次想找妳說話，正要開口，妳就走掉了。」他尷尬地抓了抓衣襬，「還有，我聽我爸說，他八月就會跟筱琴阿姨公證了，所以妳們也差不多要搬到我家來了吧？」

接觸到紀唯明顯不悅的眼神，他一縮，結巴地說：「我、我說錯什麼了嗎？」

紀唯深吸一口氣，收起不小心流露出的情緒，冷淡回應：「我知道。」

「妳還沒有來過我家吧？我家很漂亮唷！只是之前只有我跟我爸兩個人住，所以特別空曠。不過妳跟筱琴阿姨搬進來的話就剛剛好了。搬家的那天，如果有需要幫忙的地方，妳可以找我，我來幫忙！」

「我們會找搬家公司，不必麻煩你。」

「是喔？那好吧。」他摸摸頭，臉上笑咪咪的。

看著這樣的他，紀唯忍不住問：「你很高興嗎？」

「啊？」他一怔，點頭，「我很高興啊！」

「我跟你幾乎沒說過話，就要搬進你家，從此一起生活，你不覺得尷尬，也不會不自在？」

沈佑嘉停頓半晌，一字一頓，「我想這是因爲……我爸跟筱琴阿姨已經在一起很久，我也早就知道妳的存在，所以看到他們感情穩定，就猜到他們會結婚，因此我決定要把阿姨當作我的家人，對妳也是。」

他的回答出乎她的預料，這個人的思想簡直不可思議。

「我和你明明沒交集，你就已經把我當家人？」紀唯滿臉懷疑，「這是你說『決定要做』，就可以做到的事嗎？你一點都不覺得不妥，也完全不會介意？」

「不會啊。」他一臉天眞單純。

紀唯無言以對，她都忘了這人是個傻蛋，能粗線條到這地步，也算是個奇葩。

「既然誰都可以當你的家人，那就算了，至少不會有什麼煩惱。」紀唯甩甩手，不想再跟他多談。

「等等，妳誤會我的意思了啦！」沈佑嘉連忙澄清，「我不是指誰當我的家人都可以，因爲對象是妳，我才會這麼說！」

紀唯一聽，眉頭蹙起，「這是什麼意思？」

「意思就是……」他抿抿唇，眼珠子忽左忽右，愼重地說：「因爲會當我家人的人，是『任紀唯』，所以我才不介意，還很高興！」

這番話讓紀唯傻住了。

兩人一時沒再開口，沉默望著對方，一動也不動。

Chapter 2

「然後呢？」楊心璦跟蔡以鈞緊張兮兮地問。

紀唯用吸管攪動杯中可樂的動作一頓，不解地問：「什麼然後呢？」

「妳是怎麼回答沈佑嘉的呀？」楊心璦焦急不已，「沈佑嘉爲什麼會覺得很高興？妳沒有問他嗎？」

「就是啊，停在這麼曖昧的地方，讓人聽得很緊張耶！」蔡以鈞也催促，「你們接下來說了什麼？」

「我媽剛好打電話過來，所以什麼都沒說，之後他就回家了。」紀唯翻翻白眼，「你們以爲他會說什麼？」

「沒有啦，只是沒想到沈佑嘉會說出這種話，所以挺驚訝的。對吧？」蔡以鈞看著點點頭的楊心璦，拿起薯條嚼了嚼，「所以妳跟妳媽眞的要搬去沈佑嘉家了？」

「嗯，八月。」紀唯無力地說。

「那就是下週了耶！突然好有眞實感。」楊心璦想起什麼似地問：「紀唯，妳跟關旭彥說了嗎？」

「說啦，他知道我要搬家。」

「我不是問這個，我是問，他知不知道妳媽媽的再婚對象是沈佑嘉的爸爸？」

「他不知道。」

看見蔡以鈞搖搖頭，紀唯納悶，「怎麼了？」

「紀唯，我覺得妳還是盡快跟關旭彥講一下比較好。」楊心璦語重心長。

「爲什麼？他也曉得我媽準備再婚，對象是誰有差嗎？」

「任紀唯，妳太不了解男生的心了！」蔡以鈞嘖嘖說道：「難道妳忘了，關旭彥跟沈佑嘉同屆，就算他們不同班，可能也不認識，但一定知道對方的存在吧？」

「所以呢？」

「所以請妳站在關旭彥的立場想一想，萬一他發現喜歡的女孩，居然和一個與自己同校同屆的男生住在同一個屋簷下，每天朝夕相處，無論白天還是晚上都會見到彼此，哪個正常男生會不擔心、不抓狂？」

紀唯愣了一會還是很困惑，「可是，就算我跟沈佑嘉住在一起，也只是兄妹關係，有什麼好擔心的？」

「所以我才說妳不懂男生的心嘛！誰知道之後會怎樣發展？想到沈佑嘉跟妳說的那些話，我覺得不太妙！」

楊心璦接腔，「就是呀，妳找個時間告訴關旭彥吧！若他從別人口中得知這件事，造成你們之間的誤會就不好了。妳最近有和關旭彥聯絡嗎？」

「偶爾，但這幾天他跟他爸媽去沖繩玩了。」

「那等他回來就告訴他吧？雖然你們還沒正式交往，但是也差不多了。一定要跟他說，知道嗎？」蔡以鈞認眞叮嚀。

「什麼叫差不多了？亂講！」紀唯瞪他，臉紅著嘀咕。

「本來就是，明明就兩情相悅，還在那邊拖。反正妳趕快告訴關旭彥就對了，要是因爲沈佑嘉，害他生氣不理妳，到時妳哭都來不及！」

「好啦好啦，你們也擔心過頭了吧？關旭彥還在沖繩，我最近又要忙搬家，時間不多，開學時再跟他說吧！」紀唯喝完可樂，拿起空盪盪的薯條盒一看，站起身，「還是有點餓耶，我再去點個漢堡。」

紀唯哼著歌離開後，蔡以鈞跟楊心璦互望一眼，搖頭嘆息，祈禱一切都能相安無事。

因爲關旭彥知道她家的狀況，所以紀唯對於她將住進沈佑嘉家，從此和他成爲一家人，不覺得有特地告知的必要，畢竟這都是爲了母親。至於是否會造成其他影響，她沒有想這麼多。

不過聽完死黨們的解釋跟分析，她也覺得提早告訴對方會比較好。

不曉得關旭彥會有什麼反應？真的會像蔡以鈞說的感到擔心嗎？

她決定等到開學跟關旭彥見面再說，一直思考這些事，她又要頭痛了。

★

炎熱的八月，搬去沈家的那一天終於到來。

在客廳通完電話的任母，朝紀唯的房間喊：「唯唯，走吧，叔叔來了。」

「喔！」紀唯提起包包準備出去。

一踏出房門，她回頭望著只剩一張空床的房間——真的要和這個家說再見了。

收起不捨與惆悵，她和母親走出屋子，一輛黑色轎車停在門口。

沈父搖下車窗，對她們微笑揮手，紳士地下車幫任母開車門。

紀唯打開後車門，立刻對上一張燦爛笑臉。

「嗨！」沈佑嘉坐在後座，精神抖擻地和她打招呼。

沒想到這傢伙也會跟過來，紀唯內心疲憊，上車後與他保持距離。

「搬家公司都已經處理好了吧？」開車中的沈父問。

「是啊，這一間效率不錯，只剩幾袋東西了。」任母說。

「那我們整理好行李，再出去吃晚餐。妳跟紀唯這幾天都在忙著打包，一定很辛苦。」沈父伸出右手，覆蓋在任母的左手。

紀唯的目光就這麼跟著落在兩人交疊的手上，一時沒有移開。

這時，沈佑嘉喊：「老爸，可以在前面的便利商店停一下嗎？我想買東西。」

車一停下，他馬上跑進店裡，三分鐘後拎著一袋東西回來。

「筱琴阿姨，這個給妳。」他從袋子裡拿出一瓶飲料。

「謝謝。」任母驚喜，「佑嘉怎麼知道阿姨喜歡這個牌子的麥茶？」

「我問老爸的。」他嘿嘿笑，又拿出一罐飲料給身旁的紀唯，「這個給妳喝。」

紀唯一愣，看了他一眼。

任母笑著對沈父說：「這孩子不僅貼心，也很細心，之前我跟他說唯唯喜歡喝麥香紅茶，他都記得呢。」

紀唯看著那罐麥香紅茶，抿抿唇，伸手接過，「謝謝。」

「不客氣。」沈佑嘉笑容可掬，接著他對前座的父親說：「老爸，你的熱美式我到家後再拿給你，不然會灑出來！」

「好。」沈父回答。

聽到這對父子的對話，任母回眸，對沈佑嘉投以慈愛和讚許的眼神。

看著沈佑嘉打開一瓶雪碧喝起來，紀唯若有所思，她似乎明白母親爲何會喜歡這傢伙了。若不看他滑稽的一面，他其實是個機伶的人。

她轉頭靜靜地看著窗外，一棟棟建築物在眼前閃過，帶領她到另一個陌生之處，思緒也隨之陷得很深，她始終沒喝掉手上的麥香紅茶。

「佑嘉，我去停車，你先帶紀唯到家裡。」車子抵達公寓樓下，沈父對兒子說。

「收到！」沈佑嘉迅速下車，等到紀唯也下車，他一把搶過她的行李袋，「我幫妳拿上去！」

「等……」紀唯還來不及搶回，他就已經跑上階梯，拿出鑰匙開啟一扇構造別緻的鐵門，回頭對她一笑，「我帶妳參觀我家！妳的房間已經整理得差不多了。」

紀唯皺眉，不明白他到底在亢奮什麼，只能無奈地跟上他的腳步。

這裡的住宅區外觀優美，周邊環境也很不錯，附近有商店、公車站和菜市場，生活機能相當良好。

搭電梯到九樓，沈佑嘉打開其中一扇門，進屋開燈，乾淨明亮的空間呈現在紀唯眼前。

寬敞的客廳映入眼簾，在黃色燈光的照耀下，映出溫暖的顏色。

客廳中央的米色布沙發，搭配簡潔典雅的玻璃桌，底下鋪著精緻的地毯，另一邊擺著四人座的木製餐桌，整體裝潢充滿古色古香的氛圍。

家裡布置得如此精緻、有品味，紀唯以為這樣的裝潢，牆上還會搭配水墨畫或書法字帖，但她卻看不到任何類似的裝飾，只有熟悉的壁紙和圖案——和她原本家裡貼的是一樣的，是母親最喜愛的風格。

想到這裡，紀唯的思緒又飄得好遠。

「任紀唯，妳的東西都在這裡，過來看看吧！」

沈佑嘉的呼喊讓她回神，紀唯跟著他走過客廳，來到兩扇面對面的門之間。

沈佑嘉打開其中一扇，熟悉的淡淡清香撲鼻而來，是她喜歡的檸檬香。

臥室裡的書桌跟衣櫥，都是從原先的家搬過來的，而書櫃及電腦桌則是全新的。

「這裡是筱琴阿姨親自幫妳整理的，書櫃跟電腦桌是我老爸送的，他本來還想買新書桌，但阿姨說妳很喜歡那個書桌，所以就留著了。」

沈佑嘉滔滔不絕，「廁所跟浴室在廚房旁邊的轉角，毛巾跟牙刷也都幫妳準備好了。我的房間在妳對面，有什麼事隨時可以叫我。還有妳的行李袋，我放在床頭邊了！」

「嗯，謝了。」紀唯淡淡地說。

沈佑嘉離開房間後，紀唯想著這間房子的格局，腦海浮起一些疑問……

這間屋子共有五個房間，其中一間是客房，一間是雜物間。這些年來只有這對父子居住，兩人各睡一間房的話，等於用掉四個房間，那麼她現在待的這一間，之前是用來做什麼的？

「任紀唯，妳要不要來陽台看看？有種很多植物跟花！」

客廳牆上的壁紙，跟客廳的設計不太搭，也不像他們會喜歡的風格，莫非是沈叔叔爲了討母親的歡心，才貼上去的？

「任紀唯，我家還有跑步機，下雨的時候妳可以在家跑步！」

平時應該只有這對父子在家，但房子居然整理得一塵不染，這有可能嗎？

「任紀唯，我有養烏龜，妳要不要來看看？一隻公的，一隻母的！」

會不會是有請人來幫忙？不然這種房子打掃起來也很吃力。

「任紀唯，廚房的冰箱跟櫃子裡有超多零食，肚子餓的時候可以吃，妳喜歡吃哪一種？」

母親應該來過很多次了吧？這點她倒是沒問過。

「任紀唯，妳怎麼還在房間？快點出來啊！」

這麼說的話，可能就是……

「喂，任紀唯！」

紀唯兩手重重地朝桌上一拍，低頭撐著身子，強忍住想將外頭那隻吵死人的獅子痛扁一頓，讓他就此閉嘴的衝動。

眼前的鏡子倒映出一張疲憊不堪的面孔，耳邊還不斷傳來沈佑嘉的呼喚聲。

「任紀唯，妳要堅強，爲了母親的幸福，妳一定要忍耐。」

「謹記蔡頭說的話，千萬不能因爲一時衝動，就把那個白痴做掉了！」

她在心裡不斷自我勉勵，祈求老天爺可以聽見她的心聲，讓她有足夠的耐心跟毅力度過接下來的日子。

晚上，他們一家四口上餐館用餐。

沈佑嘉依然不屈不撓地跟紀唯說話，聊近日看的電影、和同學遊玩的景點、哪個藝人要來台開演唱會……即使對方沒什麼反應，他也不放棄，甚至還因爲講得太激動，手上的叉子一甩，把食物甩到紀唯的臉頰跟身上，幾滴油膩膩的菜漬在她潔白的上衣渲染開來！

紀唯愣住，那是楊心瑷跟蔡以鈞去年合送給她的生日禮物……

「哇，任紀唯，對不起，我幫妳擦！」沈佑嘉驚慌失措，拿餐巾幫她擦拭衣服上的油漬。

紀唯闔眼深呼吸，告訴自己忍耐，要忍耐。

「我看看，這樣應該可以。咦？奇怪，好像越來越髒了……」

不能扁他，不能宰他，不能殺他。

「佑嘉，回去再洗就好，不用擦了。」任母說。

「可是這樣……」沈佑嘉一臉不妙，與紀唯同時看著已經慘不忍睹的衣服。

茶色的油漬被擦出一大塊醒目的汙痕，更糟的是，紀唯沒有外套可以遮掩，代表她等等必須帶著這塊汙漬回家。

「任紀唯，妳臉上還有，我幫妳擦。」

眼看沈佑嘉的餐巾又要湊過來，紀唯一秒伸手擋住，轉頭看他，皮笑肉不笑，「我自己擦就好，你不用費心。」

沈佑嘉沒察覺到紀唯眼中的殺氣，看見她對自己笑，也跟著傻傻笑起來，以爲她眞的不在意。

他繼續拿起餐具吃飯，口中說個不停。

跟沈佑嘉一起生活後，發生在紀唯身上的慘事多如牛毛。

暑假期間，只要紀唯在家，沈佑嘉三不五時就會跑去敲她的房門，若她在客廳裡看電視，沈佑嘉也會坐在一旁嘰嘰喳喳個沒完。

她搞不懂怎麼會有男生話這麼多？一連幾天被他的噪音跟騷擾轟炸，紀唯好幾次都快發飆，但想到母親和沈叔叔，她硬是咬牙忍下。

更慘的是，沈佑嘉還找到她的社群帳號。看見他的好友邀請，紀唯一陣胃痛，最後決定放置不理，不想連社群都跟他扯上關係，被他糾纏。

沒想到幾天後，他們一家人坐在客廳看電視，沈佑嘉直接當著大人的面，好奇地問：「任紀唯，妳爲什麼都不加我好友？」

紀唯差點被口中的水果噎到。男孩清澈的眼睛對她眨啊眨，表情純眞，她搞不懂這傢伙是單純問問，還是故意讓她難堪？

感受到母親和沈叔叔投來的目光，紀唯一陣心慌，裝傻，「有嗎？我沒看到。」

「有啊，三天前我就送出邀請，可是沒看到妳回覆。」

「可能被隱藏了吧？有時系統會搞烏龍。」紀唯表面冷靜，背脊卻在發涼。

「有可能耶！那我再發一次給妳。」他抽出手機，再試一次，一道清晰的「叮咚」聲從她口袋裡的手機傳出。

三人的視線同時落在紀唯身上，她故作鎭定地拿出手機檢查，用意外的口氣說：「喔，這次有了耶！」

「太好了，這樣我就可以看妳分享的照片了！」

「現在的年輕人眞不錯，有這麼多東西可玩。」沈父莞爾。

「老爸你也辦一個啊！」

「哈哈，如果可以看到你們兩人的照片，玩一下也是不錯。」沈父笑了笑。

任母告訴女兒，「唯唯，以後妳跟佑嘉出去玩，記得多放一些照片到社群，給妳叔叔看。」

「老爸，交給我，我等一下就幫你辦！」沈佑嘉拍拍胸脯。

看著「您與沈佑嘉已成爲好友」的訊息，紀唯拿著手機欲哭無淚。

往後的日子，眞的不得安寧了。

★

「任紀唯，妳等等我！」

新學期第一天，紀唯背著書包去搭公車，晚一分鐘出門的沈佑嘉趕緊追上。

「妳早餐要吃什麼？」他問。

「我不餓，所以不吃。」

「那怎麼行？前面轉角有一家早餐店，他們家賣的漢堡跟蛋餅很好吃。我從小吃到大，都還吃不膩！」發現紀唯突然停下來，他愣住，「妳怎麼了？」

「沈佑嘉，可以跟你商量一件事嗎？」

「當然可以，妳儘管說！」他開心道。

「從今天開始，我們上學各走各的，等公車的時候不要站在一塊，更不要和對方說話，就當作我們不認識。」

「爲什麼？」他不解。

「我現在還沒辦法跟你解釋這麼多，總之，你能先答應我嗎？」

沈佑嘉縱然困惑不解，在紀唯嚴肅的視線下，也只能同意，「好吧……」

「謝謝。」紀唯一臉滿意，轉身朝公車站繼續走。

開學第一天，校園熱鬧洋溢。

紀唯一進教室，就忙著和許久不見的同學打招呼。楊心瑷跟蔡以鈞接連到班，三人立刻開心地聊個不停。

今年他們幸運地被編在同一班。

蔡以鈞邊吃早餐邊問：「任紀唯，妳怎麼在社群上消失了？都沒看到妳發動態。」

「對啊，八月後就沒看到妳的消息，連照片都沒有。」楊心瑷也說。

「別提了，講到這個我就想哭。」紀唯甩甩手。

「幹麼？怎麼了？」很快，蔡以鈞兩手一拍，像是想起了什麼，「哈哈，我差點忘了，沈佑嘉的事啊！怎麼樣？你們這一個月——」

「任紀唯！」

宏亮的呼喊，讓鬧哄哄的教室倏地安靜，不少人往窗外一瞧。

沈佑嘉就站在教室外頭跟她招手，紀唯倒抽口氣，差點要休克！

在他再度開口前，紀唯已用迅雷不及掩耳的速度衝出教室，在更多人注意到前，抓著他往樓梯處衝！

「沈佑嘉，你搞什麼鬼！不是叫你不要跟我說話，當作我們不認識嗎？你還跑到我教室來幹什麼啊？」紀唯氣急敗壞。

「可是妳不是說早上上學的時候才這樣嗎？」他表情無辜。

「在學校也一樣！不管在外面還是在學校，我們都要裝不認識，所以你不能跟我說話，更不能來找我！」

「蛤……一定要這樣喔？」他噘起嘴，看起來百般不願。

「對，你答應我了就要做到！」她兩手插腰，雙眉一擰，「找我有什麼事？」

「喔，是早餐啦！我還是幫妳買一份了。」他遞過手中沉甸甸的袋子，「雖然妳說不餓，但還是吃一點比較好，不然上午上課會沒精神！」

紀唯訝異地看著那袋早餐，沒想到他會爲她這麼做。她輕咬唇，嘆一口氣，伸手接過，「謝了。」

看見沈佑嘉的笑臉，她又愼重叮嚀一次，「記住，不准再來找我了，就算在校園碰到，也不要跟我打招呼，要裝不認識喔，知道嗎？」

「好啦，我知道。那我先走了，早餐一定要吃喔。拜拜！」他轉身就走。

紀唯無力地回到教室，這時楊心璦跟蔡以鈞匆忙叫住她，把手機拿給她看。

三十秒前，沈佑嘉在社群上發了一則動態，並標註了他們兩人的名字及所在地點，不管是他認識的人，還是紀唯認識的人，都會知道他們兩個在一起。

紀唯再度衝出教室，撥出電話給對方，抓狂大吼：「沈佑嘉你有病啊?在學校打什麼卡?立刻刪掉！」

新學期才剛開始，紀唯就被沈佑嘉的天兵折磨到精神衰弱。

她不打算這麼早讓身邊的人知道她跟沈佑嘉的事，她還需要一些心理準備，如果可以，最好到他畢業都不要有人知道。

但沈佑嘉那個樣子，她覺得瞞不了多久，只能警告白痴王子別大嘴巴，能瞞一天是一天，不讓他們同居的事傳到別人耳裡。

尤其是關旭彥。

其實紀唯沒有打算瞞他，只是希望能親口告訴他，而不是讓他從別人口中得知這個消息。而且她相信，若要求關旭彥不說，他就會替她保守這個祕密。

放學時，紀唯在去練習的路上巧遇關旭彥，兩人在走廊上開心地聊了一會兒。

「那個……」紀唯決定開口。

「嗯?什麼事?」

「就是……我之前不是跟你提過，暑假的時候，我媽和她男友結婚……」

「啊，對，我還沒有恭喜筱琴阿姨呢，幫我跟妳媽媽說一聲！」他燦笑。

「嗯，所以……」她搔搔臉，「關於我媽再婚的對象，其實……」

「阿姨的再婚對象怎麼了?」

「其、其實那個人……」

紀唯呑呑吐吐，還沒說完，關旭彥就已先出聲：「咦？那裡好像很熱鬧。」

聞言，紀唯也順著他目光一望，操場上有一群人站在一張軟墊跟一根橫桿前，準備要跳竿。

沈佑嘉居然就在那群人之中！

在同學的慫恿下，沈佑嘉放下書包，在原地跑跳熱身，似乎準備大顯身手。

「不知道沈佑嘉能不能跳得過去？」關旭彥好奇。

紀唯一驚，「你知道他？」

「當然知道，他是我隔壁班的，但我沒跟他說過話。」他低語，「不過……」關旭彥的聲音被一陣鼓噪及掌聲打斷。

沈佑嘉露出難得的認眞表情，專注地盯著橫桿，助跑向前。在即將一躍而起的瞬間，起跳位置一偏，身體還來不及翻轉，頭部就先撞上橫桿，整個人連同橫桿一同跌落，滾到地上，當場摔了個四腳朝天。

現場的眾人先是大聲驚呼，然後鴉雀無聲，最後各個捧腹大笑，笑聲久久沒能停歇。

關旭彥跟著笑了出來，「我之前就聽說他常做出一些滑稽好笑的事，沒想到是眞的，剛才那一撞應該超痛。」

注意到紀唯倚在牆邊不動，他困惑地問：「妳怎麼啦？」

紀唯眼神空洞地面對牆壁，雙眼緊閉，發出痛苦的哀鳴。

這要她怎麼說出口！

★

一回到家，紀唯就聞到陣陣菜香。

她換上室內拖鞋，經過客廳，抬眼就看見沈佑嘉躺在沙發上盯著電視，哈哈大笑。

她沒叫他，逕自走進廚房，對在裡頭炒菜的人打招呼，「秀梅姨好！」

「唯唯回來啦？」婦人回眸，笑容親切，「肚子餓了吧？再等一下，剩兩道菜。」

「好。」

紀唯到房間換下制服，又回廚房站在婦人身邊，拿起兩顆雞蛋和一個碗，「這個要全打進去嗎？」

「對，我要做番茄炒蛋，妳媽媽最喜歡吃這個了。」秀梅姨說：「這些阿姨來弄就好，妳去客廳跟佑嘉一起看電視呀！」

「可是我想跟秀梅姨一起，就讓我幫忙嘛。」紀唯往她身上靠，對她撒嬌，逗得對方呵呵笑。

李秀梅今年五十五歲，就住在附近，沈父平時會委託她來家裡幫忙料理晚餐跟打掃，讓任母下班後不必再爲家事傷神。秀梅姨與紀唯去世的外婆同爲印尼華僑，因此對任母來說，秀梅姨讓她很有親切感，兩人總有說不完的話，感情相當好。

這天全家人一起吃晚餐，沈佑嘉吃得很快，不到十分鐘就離開餐桌，回沙發上看電視，紀唯吃飽後也跟著到沙發上坐，滑著手機。

秀梅姨端著一盤水果走來，用叉子叉起一塊切得漂亮的蘋果，對躺在沙發上的沈佑嘉說：「來，佑嘉，吃水果。」

「嗯。」他從秀梅姨手中接過叉子，沒看秀梅姨一眼，只盯著電視，咬一口蘋果後，又放聲笑起來。

紀唯抬頭注視他片刻，冷不防朝他小腿一踢，嚇得他瞪大眼睛！

「秀梅姨拿水果給你吃，你不會說聲謝謝嗎？」她口氣冷淡。

沈佑嘉頓時傻住，秀梅姨無所謂地笑，「沒關係啦！唯唯，妳也來吃吧。還有小番茄喔！」

「謝謝，秀梅姨也一起坐下吧。」紀唯說。

「阿姨就不吃了，妳爸爸說盤子他們洗就好，要我早點回去休息。」她語氣欣慰，「妳爸爸媽媽感情眞的很好，很幸福呢，讓人看了好羨慕。」

秀梅姨提著包包離開後，紀唯先是默然，接著再次望向躺著吃水果的那個人。

「沈佑嘉。」

「怎麼了？」聽到她叫他，男孩立刻正襟危坐。

「你沒有告訴別人我跟你住在一起的事吧？」

「還沒有。」

「眞的？」

「嗯，因爲妳一直叫我不要跟別人說，所以我想，要是我眞的講了，妳應該會很生氣。」他抓抓頭，「其實我早在暑假時就想在社群上公布的，幸好沒這麼做。」他鬆了一口氣。

「這有什麼好公布的？你以爲是請喝喜酒？」

「因爲我很開心啊，才想跟我朋友分享。」他認眞地看著紀唯，「不過，我發現妳似乎不是這麼想的。所以我想問妳，爲什麼這麼不希望別人知道？」

紀唯語塞。

「妳是不是覺得……」他緩慢地問：「跟我變成家人，是一件很丟臉的事啊？」

面對那雙清澈率眞的眼睛，她回答不出來。

拿起一顆小番茄含在嘴裡，她起身，「我回房間了。」沒等沈佑嘉反應，她頭也不回地離開客廳。

進房前一刻，聽見廚房裡傳來沈叔叔與母親的說話聲，她忍不住走過去。

他們站在流理台前，一人洗碗，一人用乾抹布將洗好的碗盤擦拭乾淨，兩人不時靠在一起，耳鬢廝磨，看上去的確像是一對幸福恩愛的夫妻。

紀唯靜靜凝視這甜蜜的一幕，最後，她在不被發現的情況下，悄然回到房間。

她靠著牆壁，環抱膝蓋坐在床上，心情低落。

廚房裡的嘻笑聲、客廳的電視聲、沈佑嘉的大笑聲，不時傳進她的耳裡，即使心不想聽，還是聽得見……

鬧哄哄的麥當勞裡，紀唯拿起薯條心不在焉地吃著，看起來心事重重。

坐在對面的楊心璦和蔡以鈞覺得奇怪，雖然常看她因爲沈佑嘉的事而煩惱，但她這樣無精打采，倒還是第一次。

他們用眼神示意對方，決定誰要開口問，這時，紀唯先出了聲。

「欸，我覺得……」她神情黯淡，「我好像有點奇怪。」

蔡以鈞聞言，大笑，「妳現在才知道嗎？哈哈哈！」

「喂，不要亂講！」楊心璦打他的肩，接著關心地問：「怎麼突然這麼說？」

「我也不知道該怎麼講……自從搬進沈佑嘉家裡，以前從沒有過的情緒和感受一個一個冒出，連我都覺得莫名其妙，很煩！」她深深皺眉。

「沈佑嘉那傢伙又惹妳了？」蔡以鈞問。

「有是有，但不全然是因爲他。」紀唯苦笑，「主要原因是我媽和沈叔叔。」

這答案出乎他們預料。他們沒有說什麼，而是更專注地聆聽。

「在他們結婚前，我一直希望我媽可以幸福，也相信我媽做的決定，所以對於她的情事從不過問。不管是誰，只要對方可以讓我媽幸福，我都願意接受。在他們結婚後，我更確信沈叔叔是她最好的選擇。」

咬咬唇，紀唯語氣無力，「可是不知道爲什麼，住進那個家之後，只要看到他們親暱的模樣，哪怕只是牽手、擁抱，或者是親吻，我都會下意識別開眼睛，無法直視。現在光是看到他們對彼此微笑，我也會想躲開，不想看見。」

她垂頭喪氣，雙手撐著額，「爲什麼會這樣呢？好奇怪。」

跟楊心璦互望一眼，蔡以鈞小心翼翼地說：「會不會是妳不習慣看他們在妳面前放閃，會覺得害羞、不好意思？」

「對呀，有可能是妳還沒調適好母親再婚的心情，覺得捨不得，才有這種感覺。不要想太多！」楊心璦安慰道。

「可是讓我媽重新擁有幸福，是我一直以來的願望，我沒理由捨不得。而且我也很喜歡沈叔叔，這種心情根本就沒道理存在。」她的心頭滿是苦澀，「現在看到我媽每天笑得幸福，我非但沒有喜悅的感受，反而會覺得心痛。」

他們面露擔心，蔡以鈞語重心長，「兄弟，別這樣，我真的覺得妳只是還沒調整好心情，再過一陣子應該就會習慣了！」

「對啊，我也是這麼想的，像沈佑嘉他不也——」

「就是沈佑嘉害我的狀況變得更嚴重。」她反駁楊心瑷的推測。

「他完全沒有適應不良的問題，從一開始就真的把我們當成家人，還能在我們面前表現出最真實的樣子，可我卻沒辦法融入他們，好像有一道看不見的隔閡存在，就算四個人在一起，也沒有『我們是一家人』的感覺，就是很不自在。」

「喂，妳幹麼拿自己跟沈佑嘉比？他本來就少一根筋，不會想這麼多！」

「就是啊，紀唯妳只是還需要一點時間，不要這麼悲觀嘛！」

見紀唯沮喪到趴在桌上，他們兩人急著用手肘推推彼此，要對方再說一些安慰、鼓勵的話，紀唯卻猛然抬頭，把他們嚇一跳。

「沒錯，時間。」她眼神發亮，不見方才的陰鬱，滿是朝氣地笑，「這只是過渡期，只要撐過去就不會有這種想法，我遲早會習慣！」她拿起托盤上的漢堡，開心地說：「這樣一想，我的心情就好多了，肚子也餓了，哈哈！」

傻眼的二人再度面面相覷，無言以對，深深佩服紀唯復原的速度。

和死黨聚餐，再去看電影，紀唯回到公寓時已經晚上十點。

她正要拿鑰匙開家裡的門，突然間，沈佑嘉衝了出來，神情慌亂、滿臉通紅。

紀唯錯愕，「怎麼了？」

「我、我們出去，快點先出去！」他用力將紀唯往外推，然後輕輕關門，不讓她進屋。

她不滿，「沈佑嘉，你在幹麼？我要進去你還把我推——」

沈佑嘉將食指貼在唇上，用力地對她「噓」了一聲，像隻失措的小狗，「現在先不要進去。」

「為什麼？叔叔跟我媽在家吧？怎麼——」

「真的不要，我們晚一點再進去，拜託妳！」

面對紀唯充滿困惑不悅的表情，他眼神閃爍，面紅耳赤，吞吞吐吐地道：「我爸跟筱琴阿姨，現在在房間，很忙。他們在……就是那個……」

紀唯聽懂了，整個人也傻了。

看著耳根子都紅透的沈佑嘉虛脫蹲下，她一愣，老天，那兩人在正值青春期的男孩身邊做什麼啊？

「你一直都在客廳嗎？」

「我在房間打電動，隱約聽到聲音，想要戴耳機，偏偏耳機故障了，所以就去客廳看電視，結果完全坐不住，畢竟就在隔壁，眞的很怪啊……」

紀唯頓時啞口無言，兩人僵在門口，氣氛尷尬不已。

紀唯突地轉身，見狀，沈佑嘉問：「妳要去哪？」

「我到附近的超商坐坐，半小時再回來。」她伸手按下電梯鍵。

「任紀唯，我跟妳去！」他立刻追上。

暫時無法回家的兩人，最後先到便利商店坐坐。

他們坐在窗邊座位喝飲料，沉默地望著無人的夜色，尷尬的氣氛再次襲來。

紀唯忍不住嚷嚷：「沈佑嘉，你不要這個時候才安靜好不好？你平常不是話很多嗎？」

「我……一時不知道要說什麼啊！」他又臉紅了。

「隨便啦，想說什麼就說，笑話也可以！」

「好吧，那我想一想……」他思忖片刻，轉頭看著她，「妳跟關旭彥在一起了嗎？」

紀唯差點被口中的飲料嗆到，原以爲他會講冷笑話，結果竟然是問這個。

「你怎麼會知道這件事？」

「你們真的在一起了？」他瞪大眼睛。

「不是啦，我是問你怎麼會知道關旭彥的事？」

「我怎麼會不知道？他跟我同屆，又很受歡迎。」他理所當然地回：「我常看到你們放學後一起去田徑隊，看起來感情很好，才會這麼猜測。」

紀唯頓時無話可說。

「你們真的在交往？」

「不干你的事。」她別過頭。

「別這樣啦，妳不是叫我說些什麼嗎？我已經說了，妳就告訴我嘛！」

「這題例外，換一個。」

「可是我現在只想到這個。說啦說啦！」

沈佑嘉糾纏不休，紀唯被盧到受不了，脫口喊：「沒有，我們還沒有在一起！」

「『還』沒有？所以快囉？」他抓到關鍵字，笑得開懷。

紀唯不明白他在開心什麼，直接結束話題，「我說了，不干你的事，所以不准再問了。」

「別這樣嘛，要是妳真的跟關旭彥交往，算是大事耶！要不要我幫妳的忙？」

「你要幫什麼忙？」

「幫妳去跟關旭彥說啊，讓你們兩個可以順利——」

紀唯立刻打斷，「不必了，你不要多管閒事！」

「可是——」

「這件事我自己會看著辦，不用你操心，所以拜託你封緊你的嘴，不准跑去跟關旭彥亂說！」她嚴肅叮嚀：「我是說真的，要是你亂來，告訴他我跟你的關係，你就休想我再跟你說話，也別妄想我會理你！」

「好啦，不說就是了。」威脅奏效，他失望地咕噥。

沒過多久，他馬上又笑嘻嘻地晃頭晃腦，還哼著歌，似乎心情很好，紀唯聽得心裡發毛，擔心他只是在唬弄她。

她想，果然還是快點告訴關旭彥比較好。

★

兩天後的田徑隊練習時間，紀唯在操場上暖身。

關旭彥在她背後叫住她，拋了一瓶礦泉水過去，紀唯機警接住。

「接得好！」他笑了笑就要走開，紀唯急忙喊住他，他停下腳步，「怎麼了？」

「這個，謝謝。」紀唯晃晃手中的水，「還有……今天練習結束後，可以一起回去嗎？我有事想跟你說。」

關旭彥想也不想就答應：「好啊！」

「謝謝。」紀唯鬆一口氣。

對方離開後，她走向跑道準備練習，看見有四個女隊員聚在前方不遠處，視線落向她，彷彿在關注她和關旭彥的對話。何詩詩也在其中。

一發現紀唯的視線，其他三人立刻移開目光，竊竊私語，只有何詩詩毫不遮掩地與她對視，然後安靜地跟著她們離開。

她和何詩詩沒什麼交集，也沒有私人恩怨，頂多就是田徑隊的勁敵。

兩人不僅身高體重差不多，連跑步的速度都很接近，女隊員當中，就屬她們二人的實力最被看好。即使平常感覺不到對方的善意，紀唯仍將她視爲可敬的對手，潛意識中也不想輸給她。至於田徑之外的事，她完全懶得理會。

不曉得是不是多心，紀唯總覺得何詩詩方才的態度有點異常。

平時兩人對上視線，對方都會揚起一抹驕傲自信的微笑，這次卻有些嚴肅，不像平常的她。

紀唯搖了搖頭沒有多想，並投入練習。

結束訓練，她到無人的司令台前與關旭彥會合。

「其實我剛剛有點驚訝。」關旭彥莞爾地說。

「爲什麼驚訝？」

「因爲這好像是妳第一次約我。」餘暉照在他身上，讓他的眼神看起來十分溫暖，「妳要跟我說什麼？」

「就是……」她抿抿唇，「有關上一次，我跟你談到我媽的再婚對象。」

「嗯，怎麼了嗎？」

「那個人其實有一個兒子，在我們學校，跟你同屆。」

「跟我同屆？眞的嗎？那個人是誰？」

說出對方的名字後，關旭彥瞠目結舌，滿臉詫異。

「我腦袋裡閃過好幾個姓沈的同學，就是沒想到是沈佑嘉，眞的很意外！」

「這件事除了你，我目前只告訴小瑷和蔡頭，你可以幫我保密嗎？我還不想讓別人知道。」

「好啊。不過，既然妳不想讓別人知道，爲什麼還要告訴我呢？」他好奇。

「因爲……我擔心若有一天被發現，傳出謠言害你誤會就糟糕了，所以覺得先讓你知道會比較好。」

語落，她就後悔到想挖個地洞躲！

她應該想一個更恰當的理由，居然直接說出怕他誤會，這回答連她聽了都起雞皮疙瘩，感覺就很曖昧。這下眞的糗翻了！

關旭彥笑了，他露出既靦腆又喜悅的笑容。

「妳跟沈佑嘉處得好嗎？」

「一點也不好，那傢伙比女生還聒噪，既多管閒事，又很會闖禍，跟他相處一天就覺得好累，還要小心不被他氣死。要不是住在一起，我根本懶得理他！」紀唯翻翻白眼。

關旭彥又笑了一陣，「謝謝妳特地告訴我這件事，我很高興。」

紀唯對上他的眼睛，這一刻，他的臉上多了一分認眞和專注，「我希望今後也能像這樣，聽妳跟我分享關於妳的事。不管是生活上的事，還是心事，我都希望妳可以第一個跟我說。」

在紀唯反應過來前，關旭彥就主動牽起了她的手。

夏末的風，溫柔且緩慢地吹過這一片暮色。

紀唯回到家，立刻換上拖鞋往屋裡走去。

正在看電視的沈佑嘉見她回來，告訴她：「任紀唯，我老爸說明天他要出差，所以今晚去外面吃，也提前幫妳慶生。在東區新開的燒烤店，讚吧？」

他的雀躍，紀唯置若罔聞，直接走過客廳。

見狀，沈佑嘉一頭霧水，以爲她沒聽見。

紀唯回到房間後，不開燈，整個人癱坐在地，雙手往臉上一摸，臉頰居然到現在都還是滾燙的！

紊亂的心跳、亂哄哄的腦袋，讓她的思緒無法平靜。

十七歲生日的前一天，她有了生平第一個男朋友。

燒烤店裡，紀唯放在桌上的手機頻頻作響，是來自社群的通知聲，她看也看不完，回也回不完。

見紀唯放下手機，任母說：「唯唯，吃飯時不要一直用手機，這樣不禮貌喔。」

「抱歉。」紀唯一臉不好意思，把手機設成靜音。

沈父好奇，「有什麼重要的事嗎？」

「爸，我跟你講，任紀唯跟她田徑社的學長——」

多嘴的沈佑嘉一開口，立刻被紀唯拿麵包塞住嘴巴。

她用凶狠眼神警告他閉嘴，然後對一頭霧水的長輩們說：「這幾天班上有活動，我是負責人，所以比較多人找我！」

「原來是這樣，紀唯辛苦了，那妳多吃一點，才有體力應付。」沈父莞爾，從烤肉架上多夾幾片肉給她。

兩人交往的第一天，關旭彥就將黃昏時與紀唯一起在司令台前的合照上傳到社群，並打上「穩定交往中」。此舉立刻掀起轟動，祝賀留言如雪片般飛來，楊心璦跟蔡以鈞更是馬上打給紀唯確認，得知消息的楊心璦，興奮到在手機彼端開心尖叫。

消息傳得很快，在他們出門吃飯前，沈佑嘉也看到了這個消息，然而紀唯不願意讓他問。

在車上時，他不時笑嘻嘻地盯著紀唯看，彷彿眞心為她開心，還興奮到差點在沈父及任母面前說溜嘴。

紀唯沒想到關旭彥會大方公開，害羞之餘也有點高興，想著下週一到學校必定會不得安寧。

晚餐進入尾聲，趁著任母去洗手間，沈佑嘉跑去挖冰淇淋，沈父拿出一樣包裝精美的禮物給紀唯。

「這是叔叔準備的生日禮物，提前給妳，祝妳十七歲生日快樂。打開看看吧。」

「謝謝叔叔。」紀唯小心地拆開包裝紙，打開裡頭的盒子。盒裡裝著一條小熊造型的純銀項鍊，看起來價值不菲。

紀唯呆了呆，不敢置信，「這、這個應該很貴吧？叔叔怎麼送我這麼好的禮物？」

「因為妳値得呀！叔叔知道妳最喜歡的動物是熊，送妳熊娃娃之類的，總覺得有點普通，所以才送這個給妳，表達我的謝意。」

「謝意？」

「嗯，我很感謝妳同意讓妳媽媽嫁給我，也很感謝妳成為我的女兒。希望有一天能看到妳像佑嘉那樣，對我撒撒嬌或者談談心，彷彿真正的父女。」

看著沈父充滿期許的笑容，紀唯忽而腦袋空白，嘴巴微微張開，卻說不出話。

沈佑嘉端著堆得滿滿的冰淇淋回來，看到她手裡的禮物，吃驚地問：「這該不會是老爸送的禮物吧？」

「是啊。」

「哇，看起來就很昂貴！老爸你偏心，我都沒從你那裡收到這麼好的東西！」

「意義不同嘛！這是爸爸第一次送禮物給女兒，當然得送好一點。」沈父微笑。

「哼，老爸就是比較疼女生。」沈佑嘉噘噘嘴，吃起手中的冰淇淋。

紀唯悄悄收起禮物，一時沒再作聲

飯後，一行人準備回家。沈父一如往常地讓妻子先上車，回頭對著站在身後的紀唯，舉起右手，在頸部的位置比劃出一道半弧，然後將食指貼在唇前。

紀唯讀懂對方的肢體語言——別將項鍊的事告訴母親。

「上車吧，紀唯。」沈父微笑。

「好。」她聲音乾啞。

車上的三人不時嘻笑聊天，氣氛熱鬧，唯獨紀唯靜靜望著窗外夜景，若有所思。

「彷彿眞正的父女。」

心突然一陣抽痛，她不自覺握緊裝著小熊項鍊的包包，再抬手撫摸頸上正戴著的東西。

這個舉動，她沒讓任何人看見。

★

「恭喜關嫂！賀喜關嫂！成為校草的女朋友是什麼感覺呀？」

紀唯才踏進校門，蔡以鈞跟楊心瑷就從她身後冒出，在她耳邊大叫，嚇得她從恍神中驚醒。

「你們很無聊耶，不要嚇人啦！」紀唯瞪他們一眼，沒好氣地說。

此舉卻不減那兩人的興致，楊心瑷勾住她的手追問：「你們昨天說了什麼？是誰先告白的？又是怎麼告白的？」

「我猜是關旭彥先告白的，任紀唯應該沒那個膽！」蔡以鈞肯定道。

「好了啦，我昨天被一堆訊息轟炸，晚上也沒睡好，現在整個人睏得要命，你們就放過我吧。」紀唯眼神渙散，語氣滿是疲憊。

「為什麼沒睡好？我知道了，又跟關旭彥傳一整晚訊息對不對？唉，眞是辛苦！」蔡以鈞自行猜測解讀。

「好甜蜜喔！」楊心瓔羨慕地喊。

紀唯翻翻白眼，不想理會這兩人的小劇場，只想快點進教室，在早自習開始前小睡片刻。

然而，一踏進教室，她就知道這念頭只是妄想。

幾個女同學蜂擁而上，瘋狂追問她，就連去上個廁所，也被一群女孩關注。

她真的跟一個不得了的人交往了呢，紀唯忍不住想。

雖然這一天沒有訓練，她卻覺得比平常更累。

放學後，書包收拾到一半，紀唯就聽到關旭彥喊她的聲音。

他背著書包站在教室門口，對著她燦笑揮手。

班上同學的鼓噪聲，讓紀唯害羞不已，加快收拾的速度。離開教室時，楊心瓔跟蔡以鈞也對她笑得一臉曖昧，揮手跟她道別。

走到關旭彥身旁，對方朝她伸出了手，見狀，紀唯腦袋當機。最後，她在他含笑從容的目光下臉紅伸手，與他相握。

身邊的騷動聲更加清晰，她害羞得無法抬頭。

「抱歉，昨晚妳應該不得安寧。」往校門的路上，關旭彥用著聽不出歉意的語氣莞爾說。

「的確是不得安寧。」紀唯難爲情地橫他一眼，「你也太高調了吧？」

「我也覺得自己有點誇張，但沒辦法，我開心到難以保持冷靜，只想分享我的喜悅，若害妳覺得困擾，我會補償妳。不過，在送妳坐上公車前，讓我繼續這樣牽著妳吧。」

說完，他輕輕地嘆了口氣，敏銳的紀唯察覺到他的情緒，「怎麼了嗎？」

他停頓幾秒，緩緩道：「今天晚上，我要跟我爸媽去參加我奶奶的頭七，所以沒辦法幫妳慶生，不好意思。」

「沒關係啦，這件事比較重要，我不會不高興。你要打起精神，有什麼事再跟我說。」

「好。」關旭彥加重握著她的力道，「幸好有妳在我身邊，謝謝。」

對方的溫柔情話，讓紀唯臉頰的溫度再度上升，更難直視他的眼睛。

下了公車，紀唯緩慢地走在回家的路途中，腦袋還有些鈍鈍的——與關旭彥掌心相貼的觸感還在，臉頰的熱度也遲遲未退……

她搖搖頭，告訴自己趕快回神，不然家人發現了會覺得奇怪。

「喂，任紀唯！」

沈佑嘉突然從背後叫住她，她嚇得回頭，立刻張望周圍。

「安啦，這裡很少會碰到我們學校的學生，不用擔心。」看出她心思的沈佑嘉笑容滿面，「妳跟關旭彥眞的超甜蜜，居然手牽手一起離開學校。今天我們班上有很多人在討論你們！」

「那眞是我的榮幸。」她一臉沒勁。

突地，男孩跑到她面前探頭一瞧，納悶地問：「妳怎麼還沒換？」

「什麼？」

「就是昨天我爸送妳的那條小熊項鍊，我以為妳戴上了，怎麼還是原來的這一條？」

紀唯驀地沉默，半晌才回：「我忘記換了。」

「是喔？」他直勾勾地盯著她脖子上的項鍊，「話說回來，妳現在戴的這顆像是石頭的東西是什麼？」

「蛋白石。」

「蛋白石？應該不是眞的吧？」

「不是。」

「哈哈，我就知道！不過，妳為什麼要戴一個假的東西在身上？又沒什麼價值，路邊的石頭看起來都比它漂亮！」

紀唯面色一沉，看著他的眼神十分冷淡，「不干你的事。」

她快步走到公寓前，抽出鑰匙開門。

眼看門即將闔上，沈佑嘉才趕緊追上，以免被關在外頭。

那時的紀唯怎麼樣也想不到，之後的一連串風波，會從沈父送她的這條項鍊開始……

★

今天是沈父赴香港出差回來的日子，任母決定和孩子一起包水餃吃。

等到沈父回家，水餃已經下鍋。看著在廚房忙進忙出的母親，紀唯提議想幫忙煮酸辣湯，然而卻被任母拒絕，她堅持自己來，要所有人到客廳等候。

聽到廚房不斷傳來鍋子器具鏗鏗作響的聲音，沈父擔心地問：「你們的媽媽沒問題吧？」

「我相信筱琴阿姨的實力！」單純的沈佑嘉充滿信心。

「呃，我也……」紀唯搔搔臉，在心裡爲母親捏一把冷汗。

「好吧，那我也相信。」沈父輕笑。

視線轉向紀唯時，他忽然沉默下來，不一會兒紀唯便從他的視線發現，他似乎是在注意她的脖子。

對方收回視線，紀唯頓時感到喉嚨乾澀，胸口彷彿被重物壓著，難以順暢呼吸。

她知道，沈叔叔一定已經發現，她還沒有戴上那條小熊項鍊。

從那時起，每當沈父望著她、跟她說話，紀唯都覺得對方在注意她的項鍊。她無法確定事實真是如此，還是她過於敏感？

只要接觸到沈父的視線，她就會想起他在燒烤店對她說的話，心理壓力一天比一天大，心情也一天比一天沉重。

不知不覺間，情況嚴重到只要回到這個家，她就會沒由來的情緒低落，覺得手中的鑰匙重如鉛石，遲遲無法轉開鎖。

但紀唯仍安慰自己，這種感覺只是一時的，畢竟對方沒有強迫她，也沒有開口質疑，一切不過是她多心，全是自己在疑神疑鬼。

「紀唯，早。」沈父坐在餐桌前，手裡端著一杯咖啡。

「叔叔早……」看見母親端著一盤煎蛋跟吐司走出廚房，紀唯有些意外，「媽，妳怎麼會準備早餐？上班來得及嗎？」

「奇怪，媽媽沒跟妳說我今天休假嗎？中午我還跟心瑷的媽媽有約，我們好久沒聚了。」任母笑盈盈地坐在丈夫身邊，「每次見面，她都不斷告訴我唯唯有多棒、有多好，希望心瑷能跟妳一樣。從以前講到現在，真是受不了她！」

「拜託，小璦的功課比我好一百倍耶，像我還得了？」她忍不住吐槽。

「阿姨就喜歡妳的活潑跟貼心嘛！她說心璦太靜了，就算是跟她吵架也吵不起來。」她呵呵道：「好了，來吃早餐吧，媽有做妳喜歡的鮪魚雞蛋三明治！」

「嗯。」她走向餐桌，聽見沈父喚：「紀唯，妳可以幫我拿一下沙發上的那份報紙嗎？」

「好。」她把報紙交給沈父，在他對面坐下。

「謝謝。」他莞爾。

沈父的視線一往下移，紀唯的心臟就猛地一跳，所幸對方只是安靜地喝咖啡，並專注閱讀報紙，沒有察覺紀唯的內心起伏。

兩分鐘過去，沈父才注意到女孩的沉默，看著她關心地問：「紀唯，怎麼了嗎？感覺妳沒什麼精神。」

「啊？大概是因為剛起床，腦子還沒清醒！」她有些狼狽地回答。

「那喝一點咖啡吧。」他又笑。紀唯再度因他的雙眸斂下，胸前一顫。

任紀唯，他沒有在看妳的項鍊，拜託妳不要這麼神經質！她試圖說服自己放輕鬆。

「佑嘉還沒起來嗎？再不起床就要遲到了。」任母說著，起身要去叫人。

紀唯加快吃早餐的速度，吞下最後一口吐司，她站起身，「我吃飽了，先去搭公車囉！」

「唯唯，等一下佑嘉啊！」任母喊。

「不行啦，我今天有英文晨考，得趕快到學校複習！」

她背上書包，對沈父點了點頭道別。

突然間，沈父叫住她，伸手要將卡在她頭髮上的線頭撥掉，卻在碰到紀唯的那一刻，被她推開了手。

「蟑螂！」紀唯尖叫，驚慌指著沈父身後，「我看到蟑螂飛過去了，有蟑螂！」

任母馬上花容失色地喊：「家裡這麼乾淨，怎麼會有蟑螂？」

「我眞的看到了！」

沈佑嘉打哈欠走到客廳，紀唯又叫：「在那裡，蟑螂從沈佑嘉房門底下的縫隙跑進去了！」

「什麼？」這一喊，沈佑嘉瞬間被嚇醒，臉色發白地哀號：「怎麼有蟑螂跑到我房間？老爸，你快幫我找出來打死，超噁心的！」

「早就告訴過你，不要在房間裡吃零食，蟑螂一定是從你那跑出來的。」沈父拿他沒轍，跟著拿殺蟲劑的任母到兒子房間。

趁著這一刻，紀唯匆匆離開家裡。

電梯門關上，她虛脫地靠在牆邊。她因爲過於震驚而陷入呆滯，不敢置信地盯著自己的手——她居然將沈叔叔的手甩開！

對方要碰到她的那一刻，幾乎是反射動作，她迅速將對方的手推離。幸好她反應快，立刻謊稱看見蟑螂，成功轉移對方的注意力。

這究竟是怎麼回事？她到底是怎麼了？

紀唯心慌得眼眶微紅，將臉埋入手心，她第一次如此無助，不知如何是好。

「紀唯，放學了喔！」

學生紛紛背起書包離開教室，楊心璦走到趴在桌上的紀唯身邊，「妳今天不用去田徑隊嗎？」

紀唯抬頭，沒有回應，繼續坐著不動。

「紀唯，妳怎麼了？」楊心璦關切，「妳氣色很不好，是不是身體不舒服？還是妳跟關旭彥發生了什麼事？」

「沒有，我們很好。」她扯扯嘴角。

楊心璦拉開她前座的椅子坐下，體貼地說：「如果妳有心事就跟我說吧，我會幫妳想辦法的。」

紀唯注視著眼前的好友，苦笑，「好丟臉喔。」

「什麼？」

「之前我還信心滿滿地對妳說，有些事就算現在不能接受，也不等於將來不能接受。還說什麼只要努力去了解，就沒有什麼心情過不去。」她面色黯然，「只可惜，在等待那種心情過去以前，我可能早就撐不住了。」

「妳是指妳繼父還有筱琴阿姨的事嗎？」

「嗯，我真的沒想到自己會這樣，更不懂為何我到現在才意識到以前沒想過的問題，發現我介意的事，其實比我想像的還要更多。」她兩手撐額，語氣沮喪，「我到底該怎麼辦才好……」

「我也沒想到妳會煩惱這麼久，以前從沒看過妳這樣，看來這件事對妳來說確實很嚴重。」楊心璦語帶憂心，「情況真的已經變得這麼糟了嗎？」

「嗯，再這樣下去，被看出來只是遲早的事。我不知道該怎麼待在那個家，也不知道怎麼樣才能自然地跟『家人們』相處，連裝都裝不來，感覺就快到極限了。就連跟我媽說話，我也不太敢正視她的眼睛。真的很對不起她。」

「妳有跟關旭彥說過這些事嗎？」

「沒有，雖然我會跟他聊我媽，但我幾乎沒跟他談過沈叔叔的事，加上他奶奶剛過世，現在又要忙著準備大考，我不想影響他的心情。等過一段時間再跟他聊。」

聞言，楊心璦沒有再回應，只是握住紀唯的手，給予無言的安慰。

即將走到公寓，紀唯便聽見沈佑嘉叫她的聲音。

她懶得回頭，繼續往前走。於是沈佑嘉跑到她身旁，喘著說：「任紀唯，我跟妳說，今天關旭彥有來跟我說話！」

紀唯一驚，「爲什麼？」

「不知道，今天在走廊上碰到他，他就突然跟我打招呼。他跟我說，妳已經告訴他我們爸媽再婚的事，他還請我多多關照妳。」

紀唯啞然失笑，覺得關旭彥人太好，居然還跟這傢伙說這些。

「你怎麼回答他？」

「我說，沒問題啊，身爲哥哥，照顧妹妹本來就是我的責任！」他說得志氣滿滿。

「謝謝你喔，但我希望你能先照顧好你自己。」紀唯繼續走。

沈佑嘉立刻追上，盯著她的臉，「妳怎麼了？心情不好？」

紀唯一凜，這傢伙什麼時候這麼敏銳了？

「沒有啊，爲什麼這麼問？」

「妳最近跟平常不太一樣，沒什麼精神。」他認眞地說：「如果妳有什麼煩惱，可以告訴我，有我能幫上忙的，我一定幫妳！」

聞言，紀唯不禁轉頭望他，對方眼神眞誠，一副隨時待命的模樣。

她抿抿唇不發一語，最後別開眼睛，一路沉默地回家。

不知不覺，紀唯搬進這個家三個多月了。

客廳裡傳來家人們的談笑聲，充滿幸福愉悅的氛圍，然而，紀唯卻將自己關在房間，專注地想事情。

她打開桌上的項鍊盒，看著那條小熊項鍊閃爍著淡淡銀光。

此時，耳邊傳來沈父的聲音，「紀唯呢？怎麼沒一起出來看電視？」

「她說最近考試很多，吃完飯就去念書了。」任母說。

「這樣啊？怪不得她這陣子常忙到不見蹤影。除了要念書，還有田徑隊的訓練，一定很辛苦。佑嘉，若紀唯功課上有什麼不懂的，你要多幫她，知道嗎？」

「當然沒問題，放心交給我吧！」沈佑嘉馬上保證。

「看你這麼有把握，阿姨就放心把紀唯的功課交給你囉！」任母笑不停。

「這孩子就是愛臭屁，不知道到底像誰。」沈父也笑。

聽著他們和樂融融的對話，紀唯闔上項鍊盒，收進抽屜，趴在桌上久久不動……

下著雨的週六午後，紀唯走到正在擦桌子的母親身邊。

「媽，妳有空嗎？」她認眞地看著母親，「我有重要的事想要跟妳商量。」

對上女兒的眼睛，任母停頓一下，微笑，「好，媽先去放抹布。」

這一天，沈父和沈佑嘉都不在。

母女兩人面對面坐著，任母開口：「妳要跟媽媽說什麼？」

她喉嚨乾涸，低頭絞弄著手指，輕輕說：「媽，妳記不記得我們搬來之前，妳曾跟我說，若我同意妳跟沈叔叔結婚，妳也願意答應我一個要求。」

任母莞爾，「我記得呀，怎麼了？妳有什麼事是希望我答應妳的嗎？」

紀唯嘴巴張了張，卻不敢輕易說出口。

「妳放心，既然媽媽答應了，就會遵守約定。妳這幾天的精神不太好，媽媽很擔心。有什麼話，妳儘管開口，什麼都不用擔心。」她眼神溫柔，「說吧，妳想要我答應妳什麼？」

紀唯緊張得心悸，心臟快速跳動的聲音聽得一清二楚。

彷彿有一世紀這麼久，她才抬頭直視著母親，微啟輕顫的嘴唇，對眼前摯愛的人，提出這輩子最不孝的請求——

「我想要搬出去。」

這是紀唯看母親哭得最慘的一次。

雖然她知道，在母親看似溫柔堅強的外表下，其實有相當敏感感性的一面，就連看公益廣告都可以哭得淚流滿面。然而她從未見母親像現在這樣，把自己關進房裡嚎啕大哭。

面對任母的異常舉止，沈家父子都慌了手腳，但無論怎麼問，任母都不說原因，只是不停地哭，轉而問紀唯也都得不到回應。

沈父只好先安撫妻子的情緒，待她冷靜下來，再想辦法了解情況。

而沈佑嘉不停在紀唯的房門外又敲又喚，紀唯也不吭聲，只是難受地摀住耳朵，隔絕外頭的所有聲音。

不管母親問她千百次理由，紀唯都回答不出來，沒辦法說出理由。她知道母親無法諒解她的苦衷，她也知道自己的行為，等於徹底背叛了母親。

儘管此刻的她同樣痛苦，但話已說出口，傷害也注定無法挽回了。

晚上，紀唯離開家，搭公車到一座戶外運動場。

她對著一群正在打球的人發呆，沒多久，關旭彥在她身邊坐下，「妳怎麼了？」

紀唯望著他，有些恍神，半晌才啞聲開口：「抱歉，突然把你叫出來。」

「沒關係。」發現她的眼眶微紅，他認眞詢問：「妳哭了？發生什麼事？」

紀唯將今天的事告訴對方，以爲關旭彥也會對她的行爲感到不解，並怪她不懂事，然而，他只是牽著她的手，柔聲安慰，「沒關係，我相信只要好好溝通，筱琴阿姨一定可以理解。先冷靜一下，我們再看看之後怎麼做。不要太難過了，好嗎？」

紀唯鼻頭發酸，點點頭，靜靜倚靠在關旭彥的懷裡。

之後，紀唯的兩個死黨也得知這個消息，先是驚訝，再轉爲深深的擔憂。

「所以妳跟阿姨眞的沒再說過話了？」楊心璦問。

「嗯，她不理我。」紀唯捏著從合作社買來當午餐的麵包，怎樣也提不起食欲。

「那不就已經三天了嗎？看來妳媽媽這次眞的氣到了！」蔡以鈞蹙眉，「妳打算怎麼辦？」

「我會盡快再跟我媽談談。」她嘆息，「我早料到她會有這種反應……還是等她稍微冷靜點再說。可是……以我媽的拗脾氣，繼續這樣下去，對沈叔叔和沈佑嘉並不好。」

對於紀唯的事，他們也無法提供其他更好的意見，只能無奈地祝她好運。

後來，連紀唯在國外的阿姨，也知曉了這個消息。

任筱玫相信紀唯有自己的苦衷，還一派輕鬆地建議姊姊，「乾脆就讓紀唯搬出去，也是提早讓孩子獨立。我在台北的小套房可以給紀唯住，那裡不僅安全，交通也很方便……」還沒講完，任母就氣得掛上電話，不再跟妹妹多說。

紀唯好幾次都想跟母親溝通，對方卻鐵了心不再搭理她。

任母可以用正常的態度跟沈父及沈佑嘉說話，唯獨女兒，這讓紀唯難過到忍不住生起悶氣。

這段期間，沈佑嘉常常找紀唯說話，放學後，他也會在家附近等她練完田徑，再一起回公寓。

儘管母女倆鬧翻，但因爲沈父和任母的隱瞞，沈佑嘉還不知道紀唯想要離開這個家，單純以爲是家人之間的小吵小鬧，過一段時間便會沒事。

看到紀唯無精打采、悶悶不樂，他會努力逗紀唯開心，有時講笑話、有時玩雜耍，五花八門的法寶全使了出來，結果還是無法讓紀唯的嘴角上揚個半度。

某天放學，關旭彥送紀唯去搭公車。

上車前一刻，他牽住紀唯的手，「開心一點，妳媽媽不會一直不理妳的，等她氣消了，再好好地跟她說？」他安慰地說。

見紀唯點頭，他微笑，「回家吧，有事再打給我。」

「好。」說完，她上了車。

在車門關上前，她回頭對他揮揮手。

紀唯隨處找了個空位坐下，大大吁了一口氣，闔眼稍作休息。

低落許久的心情，連帶影響到紀唯的訓練，無法集中精神的她，被教練狠狠地訓了幾句，引起其他人的議論，連何詩詩也來詢問她的狀況。然而，何詩詩不變的驕傲笑容，讓她嘴裡吐出的「關心」，怎樣都像是冷嘲熱諷。

下了公車，她經過一間民宅，不久，她聽到沈佑嘉喊她的聲音。

紀唯像平常一樣不理會，沒想到突然聽見「汪」的一聲。

她忍不住回頭，赫然發現對方抱著一隻白色小狗。

沈佑嘉將牠抱得高高的，笑容燦爛，「怎麼樣？牠很可愛吧？」

「這隻狗是哪來的？」

「那棟民宅養的狗狗叫白白，這是牠的小孩，兩週前出生。我剛才偷偷抱來的。」

紀唯一驚，立刻罵：「你瘋啦？幹麼偷抱走別人家的狗？趕快送回去！」

「安啦，我等等會放回去。妳要不要先抱抱看？真的超可愛的！」

紀唯遲疑片刻，緩緩伸手將小狗抱進懷中。

小狗抬起頭，用一雙烏溜溜的大眼盯著她瞧，又用小小的舌頭舔了一下她的嘴。這可愛畫面治癒了她，忍不住伸手撫摸小狗的頭，牠立刻舒服地發出「咕嚕」。

看到紀唯終於展露笑顏，沈佑嘉開心不已，「我們幫牠取一個名字好不好？」

「神經，又不是你家的狗，誰准你擅自取名？」紀唯白他一眼，隨即將狗抱回他面前，「好了，快把狗狗抱回去，不然被發現就慘了！」

「OK，我現在就……哇！」他一抱回狗，小狗就無預警地撒了一泡尿，沈佑嘉躲避不及，白色襯衫被尿沾溼了一大塊。

他嚇得大叫：「哇靠！你怎麼突然給我尿尿啊？」

紀唯傻眼，忍不住噗哧一聲，笑了出來。

「喂，怎麼辦啊？任紀唯，妳先幫我抱牠一下！」他又將小狗抱回她面前。

「才不要，你自己抱！」她倒退一步。

「快點啦，我身上都是尿，很臭耶！」

「我才不管你，誰叫你隨便抱走別人的狗？」

「拜託啦，先幫我抱一下。」

「不要！」

沈佑嘉逼近紀唯，最後演變成一個人抱著小狗焦急地追，另一個則拚命地跑，尖叫聲不斷。

而不放心紀唯的關旭彥，送她上公車後，又騎著腳踏車到她家附近。

一抵達紀唯家附近，正好看見這一幕。

他動也不動，專注地望著那兩人追逐的身影……

整整一個禮拜過去，任母還是不肯跟紀唯說話。

紀唯知道她破壞了家裡的和諧，也毀壞了這個家的幸福，雖然愧疚、痛苦，但她無法再忽略心裡的聲音，繼續欺騙自己，因爲這樣她只會把所有人傷得更重。

母親不理她，她也無法反悔，母女倆只能繼續僵持。

某天深夜，紀唯在房裡使用電腦，手機一亮，有一則訊息傳來。

看完訊息裡的內容，她僵住不動，近一分鐘才起身走出房間。

外頭下著雨，寂靜的深夜使雨聲更清晰。

紀唯走到客廳，餐桌區的燈亮著，有個人正坐在那裡。

已經十二點了，沈父還沒有睡，他放了兩杯溫水在餐桌上，等待紀唯的到來。

紀唯放輕腳步走上前，在他對面坐下。

沈父溫聲說：「吵到妳了吧？對不起，我想還是等妳媽媽睡著後，再找妳談談會比較好。」

她點點頭，表示理解。

沈父將雙手放在桌上，十指相扣，低聲問：「我聽妳媽媽說，妳想搬出去住，可以告訴我是什麼原因嗎？」

她低下頭，沒有回答。

「是不是叔叔做錯什麼？還是佑嘉做了讓妳不高興的事？」

「沒有！」紀唯馬上搖頭，「不是這個原因。」

「那是爲什麼呢？」

她再次語塞。

「紀唯，如果妳對叔叔有什麼不滿，可以老實告訴我。或者，妳覺得我對妳媽媽有哪裡做得還不夠好，也儘管提出。」

沈父語重心長，「我知道，讓妳突然來到一個陌生環境，又多了新家人，一定很難立刻調適好心情。尤其妳一直陪在妳媽媽身邊，兩人相依爲命，要把最愛的媽媽交給別的男人，妳的不捨我能明白，也清楚妳是抱著怎樣的心情，才願意將妳媽媽交給我。所以我保證會好好珍惜妳媽媽，只有這樣，叔叔才不會辜負妳的心意。」

他繼續說：「若這個家讓妳覺得不滿意、過得不開心，希望妳能告訴我，叔叔一定會想辦法解決，好嗎？」

紀唯臉上燥熱，幾乎就快抬不起頭。

沉默很長一段時間，她痛苦地閉上眼睛，緩緩開口：「叔叔，請你相信我，接下來的話，都是我的眞心話。」

她抑制聲音裡的顫抖，「我從不後悔把媽媽交給叔叔，甚至很感激你。謝謝你愛我媽媽，讓她成爲你的妻子，更讓她再次擁有幸福。把媽交給你，是我做過最正確的決定，這個想法到現在都沒有改變，所以叔叔你絕對沒有做錯什麼。沈佑嘉也是，一切都是我自己的問題。」

「所以眞正的原因，妳無論如何都沒辦法告訴我嗎？」

紀唯睜開眼睛，視線模糊，艱澀地道：「對不起……我不能說。」

沈父沉默許久，「那妳想搬去哪裡呢？」

「我想先住在筱玟阿姨的家，離這裡不到一個小時，離學校也近，很方便。」

「那妳打算住多久？還是想一直住在那裡，不回來了？」

「不，我沒有要一直住在那裡。我只是想等整理好心情，調整好狀態後，再回到這個家來。」她澄清。

沈父凝視著她，輕輕嘆息，頷首：「我知道了。」

她一愣。

「既然妳堅持這麼做，叔叔會尊重妳的決定。我會和妳媽媽商量，讓妳暫時搬去妳阿姨家住。我說的話，妳媽媽或許會願意聽一聽。」

紀唯不敢置信，懷疑是否聽錯。這時，沈父又開口：「但我有一個條件。」

「條件？」

「對，只要妳替我完成一件事，我就幫妳這個忙，算是交換條件。」

紀唯傻了，還沒整理好思緒，她就先脫口問出：「什麼條件？」

沈父望著她，原先不見表情的面孔，出現一抹淺淺笑意……

「大哥？」

楊心璦跟蔡以鈞異口同聲，在走廊上叫出來。

蔡以鈞一手覆額，「等一下，妳是說……除了沈佑嘉，妳其實還有一個哥哥？你繼父不只有沈佑嘉一個兒子？」

紀唯含著飲料上的吸管，面露呆滯地點點頭。

「我的媽啊，這是什麼超展開劇情？太誇張了！」

「對啊，妳繼父之前都沒告訴妳嗎？」楊心璦深感不可思議。

紀唯搖搖頭，「叔叔告訴我，十年前他和前妻離婚，大兒子跟著對方。大兒子成年之後，就獨自到外頭生活了。」

「那妳繼父現在是要……」蔡以鈞好奇。

紀唯沉沉嘆息，思緒掉回前一天晚上——

紀唯坐在餐桌前，木然地看著沈父，好一會兒才能張開嘴巴，發出聲音。

「你說……要我把你的大兒子帶回來？」紀唯傻住，「叔叔，你不是只有沈佑嘉一個兒子？」

「不，我還有一個大佑嘉九歲的長子。十年前我離婚，他跟著我前妻。我前妻再婚時，他也高中畢業了，就自己搬出去住。」

「大九歲……」也就是說，那個人已經二十七歲了。

沈父接續道：「這十年來，我們偶爾會聯絡，近幾年就比較少。每年過年、父親節和我生日，他都會打電話給我，其他時候就無消無息。現在那孩子住在哪裡？過得好不好？我都不太清楚。」沈父眼裡閃過一絲落寞。

「我媽知道這件事嗎？」紀唯問。

「知道，我很早以前就跟她說過。」

「那……既然你的大兒子不常跟你聯繫，你有沒有主動聯繫他呢？」

「當然有，但每次我打過去或約他見面，那孩子見到我，眼神都不像是見到自己的父親，比較像見到客人，充滿客氣跟禮貌，沒有半點父子之間的親暱。」

斂下眼，他笑得苦澀，「不過，這不能怪他，畢竟我們分開了這麼久，見面的機會不多，再加上從前發生的一些事，那孩子自然無法自在面對我。」

紀唯怔怔，第一次看見沈父如此悲傷又帶點寂寞的表情。

他們從前發生什麼事，沈父並沒有多說，很快地收起情緒，回到原來的神色。

「這就是叔叔的條件。如果妳能讓那孩子……也就是妳大哥，重新回到這個家，讓我們父子團聚，我就和妳媽媽商量，讓妳搬出去，叔叔保證說到做到。但是別讓妳媽媽知道我跟妳說的這件事，當作是我們兩人的祕密，好嗎？」

回想沈父那時露出的神祕微笑，紀唯忽然有種誤上賊船的感覺。

對方的和煦笑容背後，似乎在盤算著什麼。她很納悶，更意外對方有這樣的一面。

「也就是說，現在要進行尋親計畫了？如果妳真的想搬出去，第一步就是先找出妳大哥才行吧？他現在在哪裡？」

見紀唯搖搖頭，蔡以鈞瞪大雙眼，「不知道？那妳要怎麼找？妳沒有他的聯絡方式嗎？」

「昨天我聽完叔叔的話後太驚訝了，腦袋一時轉不過來，今早才想起忘記問這些細節。現在我只知道那個人大我十歲，其他的資訊，像是名字、電話、住址、上班地點……通通都不曉得。」

聞言，楊心璦跟蔡以鈞的表情變得沉重。

楊心璦建議，「那要不要再問看看妳繼父呢？」

「我也很想，但我媽跟沈佑嘉平時都在家，很少有機會跟叔叔獨處。而且直接打電話問叔叔也很尷尬，要是我表現得太過積極，不就顯得我巴不得馬上搬離？現在家裡的氣氛已經夠糟了，我不希望在這種情況下，又不小心惹叔叔生氣。」紀唯悶聲咕噥。

楊心璦跟蔡以鈞面面相覷，不知道要說什麼才好。

紀唯深吸一口氣，打起精神，「算了，今天先不想這個，再想下去我的頭會爆炸，等腦子清醒點再說。天無絕人之路，一定會有辦法！」

「對嘛，這才是我認識的任紀唯！」蔡以鈞拍拍她的肩，「今晚去逛夜市，放鬆一下心情。妳跟關旭彥今天沒約吧？」

「他剛好跟他同學有約。那我們放學後就直接去，我要買一堆好吃的。」紀唯笑得開懷。

上課鐘聲響起，學生們紛紛回到教室。

就在此時，紀唯聽見楊心璦輕輕嘆息，感覺心情不好。

「小璦，怎麼了嗎？」

「哦……」她無奈地笑，「剛剛聽你們提到放學，我就想起一件麻煩事。」

「什麼事？」

「訂購班服的錢到現在都還沒收齊，全班只剩游佳菱沒繳。」

「班服的錢？那不是兩個禮拜前就該繳了？」

「對啊，可是游佳菱遲遲不繳。已經發生過兩次，她說放學前會給我，結果被她放鴿子。」楊心璦一臉煩惱，「我知道她家裡有困難，所以為了她把時間延後。但她是個自尊心很強的人，我上次提醒她還被她瞪。就算跟老師講也沒有用，她不繳就是不繳。若明天再拿不到錢，我很難跟廠商還有同學們交代。」

紀唯思忖片刻，提議，「要不要我去幫妳跟游佳菱說？」

「可以嗎？」楊心璦訝異。

「當然可以，今天放學我就去找她。」

「謝謝妳，紀唯，妳幫了我一個大忙！」她露出感激的笑容。

放學鐘聲一響，紀唯離開座位，走到正在收拾書包，在跟兩位女同學聊天的游佳菱身邊。

「游佳菱，我有件事找妳，方便出來一下嗎？」紀唯跟她搭話。

游佳菱眼神困惑，「在這裡說就行了，不用特地到外面吧？」

「嗯……那好吧。」紀唯點頭，「我想問妳，妳今天有帶班服的費用來嗎？」

游佳菱面色一僵，眼睛迅速掃過楊心璦的方向，語氣不悅地回：「我沒帶。」

「那妳明天有辦法帶來嗎？全班剩妳沒繳，已經拖太久了，再不收齊，總務沒辦法做事。」

發現游佳菱面色逐漸陰沉，紀唯提議，「如果這筆費用對妳來說有困難，妳可以跟總務說，然後看看能不能先跟幾個比較好的同學借，之後再……」

「任紀唯。」游佳菱眼裡帶怒，聲音冷硬，「妳現在是瞧不起我，認爲我繳不出這筆錢嗎？」

「我沒這個意思，更沒有瞧不起妳。只是……妳遲繳是事實，所以我才建議，如果妳有困難，可以跟總務或老師反應，先想辦法將錢補齊，不然再拖下去，會趕不上廠商要求的最後期限。」

游佳菱的臉色一陣青一陣白，瞄了身旁的兩位女同學一眼，雙頰漲紅。

「妳現在在別人面前說這些，不就是故意找我麻煩，嫌我家境不好，笑我窮到繳不出這筆錢嗎？」

「妳誤會了，我沒有這個意思，我只是就事論事，希望能幫妳跟總務解決這個問題。而且，我有請妳到外頭單獨說話，是妳不願意。」

紀唯一貫的平靜態度，徹底激怒游佳菱，她霍地站起，紅著眼睛吼：「任紀唯，妳少狗眼看人低，妳分明就是在怪我繳不出錢、拖累全班，所以故意讓我難堪。妳以爲妳家有錢，就可以看不起人了嗎？」

紀唯還來不及反應，游佳菱便抓著書包衝出教室，而一旁的兩名女同學匆匆跟上。

方才的動靜，引起教室裡同學們的注目，楊心璦也注意到了，馬上衝向紀唯，滿臉不安地說：「紀唯，游佳菱好像真的生氣了，怎麼辦？」

蔡以鈞也來到紀唯身邊關心，「兄弟，發生什麼事了？」

「等等再跟你解釋。」紀唯無奈地回答他，他然後安慰楊心璦，「不管我跟妳如何好言相勸，游佳菱還是會生氣，所以沒必要繼續看她臉色。如果明天她還是不繳，妳就告訴老師，讓老師處理。」

語落，她拍拍兩人的肩，「走吧，一起去夜市。」

這晚就寢前，關旭彥打了通電話給紀唯。

聊著聊著，紀唯也將今日跟游佳菱鬧不開心的事告訴他。

「我也覺得是她不對，再怎麼樣都不該一直拖又不想辦法，造成人家的困擾。」關旭彥肯定地說。

「就是啊！她還扭曲我的意思，而且我家哪裡有錢了？莫名其妙。」她嘟囔：「游佳菱國中時在我隔壁班，那時我就有聽說一些事。她班上的同學告訴我，游佳菱脾氣很差，自尊心高又好面子，明明家裡經濟狀況不好，還愛買東西請一群好友吃。然而，班上有需要繳錢的情況時，她都是最晚繳的，每次都得三催四請，把總務氣得半死。」

「原來如此。照她這種個性，妳今天當著她朋友的面說這些，她一定覺得面子掛不住。」

「不然怎麼辦？小璦很可憐啊，總不能就因爲她沒繳錢，害小璦被其他同學或老師責怪吧？」

「沒錯。」他贊同，隨後想到另一件事，「對了，妳和妳媽媽還在冷戰嗎？」

「對啊。」紀唯深深嘆息，「我想，我媽可能會氣一個月，之前我跟她吵架，她兩週沒理我，這一次的情況比較嚴重，所以一定會更久，兩個月都有可能。」

「兩個月？不會吧？」他嚇一跳，「不過，我覺得妳跟筱琴阿姨的個性挺像的。」

「有嗎？我應該沒我媽這麼狠，一句話都不肯跟女兒說！」聽見對方的笑聲，紀唯的唇角也不自覺上揚，「其實，當我告訴你『我想搬出去』的時候，我以爲你會不諒解，還會覺得我很不懂事。」

「嗯……剛開始我也沒想到事情會這麼嚴重，我以爲妳只是一時衝動，所以原本想等妳心情平復後再勸勸妳，看有沒有其他解決辦法，畢竟讓妳一個人住，我也會擔心。」

「原本？那現在呢？」

「現在我決定尊重妳，只要妳仔細考慮過，不管是什麼決定，我都會支持妳。」

紀唯有些感動，「爲什麼突然改變想法了？」

「因爲……我是妳男朋友，站在女友這一邊，本來就是應該的，不是嗎？」

「講得跟眞的一樣。」紀唯內心喜悅，「不錯，給你一百分！」

「謝謝。」關旭彥輕哂，「那妳打算搬出去的事，沈佑嘉是怎麼想的？」

「沈佑嘉？他還不曉得啊。幸好我媽跟叔叔都瞞著他，他如果知道，我鐵定會被他盧到抓狂！」

「這就表示他不會希望妳搬出去？也是，你們已經同居一段時日，還是會有點捨不得吧？」他的語調緩慢平板，「雖然妳之前嫌他煩、不想理他，但上次看你們的互動，我總覺得你們處得還不錯。」

「你是說哪一次？」紀唯困惑。

「就是妳訓練狀況不好，被教練罵的那一天。我送妳去搭公車後，有點不放心，所以又騎腳踏車到妳家附近，看到妳跟沈佑嘉兩人在一起。」

「喔，你說那次啊……」紀唯很快就有印象，無奈地說：「我跟你說，那天沈佑嘉超白痴的，他偷抱隔壁家的小狗，後來那隻狗直接尿尿在他身上。幸好我抱了小狗之後就把狗還給他了，不然就是我倒楣。沈佑嘉還抱著狗一直追著我跑，叫我幫他抱狗，我死都不要。」

想起沈佑嘉當時的狼狽模樣，紀唯噗哧一聲，「現在想起來還是覺得很好笑，他的糗事怎麼講都講不完。雖然我之前常被他惹毛，但現在漸漸習慣了。」

「是嗎？那就好。」關旭彥也笑了，聲音低沉，「妳早點睡吧，明早我打給妳。」

「我有設鬧鐘，你不用打來叫我起床。」

「我想聽妳的聲音。」他笑著說。

「肉麻耶！快去睡覺啦，拜拜！」紀唯害羞地結束通話。

她起身關燈，再度倒回床上，很快就沉沉入睡。

★

隔天早上，紀唯和死黨在走廊上聊天，楊心璦提到游佳菱已經繳錢給她了。

「真的？她有沒有凶妳？」紀唯問。

「沒有。謝謝妳，多虧有妳幫我，錢終於收齊了。」她甜笑。

「不會啦，事情順利解決就好啦！」

蔡以鈞橫紀唯一眼，「對啊，楊心璦的事解決了，妳的卻還沒。妳大哥的事，到底想出辦法了沒？」

「我還沒找到機會問叔叔嘛！」紀唯嘟囔。

「妳再繼續拖，人家就不當一回事了，這樣妳跟妳媽要到民國幾年才能和好？」

「好啦，我知道，我會盡快問出我大哥的下落……」突然，紀唯大叫一聲，嚇了他們一大跳。

「我眞是白痴！」靈光一閃的紀唯語氣激動，「我可以去問沈佑嘉啊！」她說完，眾人才驚覺還有這個方法。

楊心璦用力點頭，「對，沈佑嘉一定會知道他哥哥的事，直接去問他就好了，我們怎麼都沒想到？」

紀唯得意地說：「太好了，我會盡快問他。我就說嘛，天無絕人之路！」

「但妳要小心問喔！若沈佑嘉發現妳是爲了搬出去才打聽他哥，搞不好就不會告訴妳了！」蔡以鈞叮嚀。

「知道啦。」她心情愉悅。

晚上，秀梅姨煮好晚飯後，就先行離開。

沈父因爲要加班，所以沒有在家吃飯，餐桌上只有他們三人。

任母不時夾菜到沈佑嘉碗裡，笑盈盈地和他聊天，但對紀唯依舊不予理會，將她視爲空氣。

吃完飯後，沈佑嘉便回到房間，任母則收拾碗盤到廚房。

紀唯在客廳坐了一會兒，最後，她關上電視前往廚房。

她緩緩走到正在洗碗的母親身邊，「媽，我幫妳擦乾洗好的碗盤，好不好？」

任母置若罔聞，低頭繼續洗著碗。

紀唯拿起乾布擦拭那些洗好的盤子，下一秒，任母開口：「妳不用勉強自己。」

紀唯一愣，手上的動作一頓。

「如果這個家讓妳感到痛苦，就不用勉強自己接受，看起來像是我們在折磨妳。」任母壓了點洗碗精到菜瓜布上，面無表情地說：「既然妳不想跟我們住在一起，那麼想脫離我們，我就不再管妳，讓妳輕鬆一點。」

母親的話讓紀唯傻住，趕緊澄清，「媽，妳誤會了！」

「我誤會什麼？要是妳根本就不喜歡叔叔，不希望我跟他在一起，更不想跟他成爲家人，一開始就該誠實地說，而不是撒謊，口是心非地說妳覺得沈叔叔很好、很適合媽媽。」

她用不帶溫度的眼神注視著女兒，「是我讓妳委曲求全的嗎？我以爲妳很了解媽媽，只要妳老實說『不喜歡沈叔叔』，媽媽就會毫不猶豫地離開他，不會後悔，因爲對我來說，女兒的感受比什麼都重要。我不懂，妳當初說那些謊是爲了什麼？一個人隱忍到現在又是爲了什麼？是怕我傷心才說不出口嗎？我以爲妳是眞心祝福我們的，妳知不知道妳現在這麼做，才是徹底傷害我，更傷害到把妳視如己出的叔叔和佑嘉？」

「媽，我沒有，我眞的沒有，拜託妳聽我說好不好？」紀唯眼眶一熱，「我沒有委曲求全，也沒有一個人隱忍到現在，那個時候我是眞的打從心底祝福妳跟叔叔，只是——」

「沒關係，事到如今，妳不必再說這些違心之論。既然妳堅持搬出去，無法繼續忍受叔叔跟佑嘉，大不了我們就一起離開這裡，回去原來的家，就這樣。」

「媽！」

「出去。」任母將視線轉回洗碗槽，聲音冰冷，「我一直認爲妳是懂事的孩子，看來我錯了。我對妳很失望，不想看到妳，出去。」

紀唯緊咬下唇，甩頭離開廚房，回到房間。她倚著門一動也不動，鼻頭發酸，淚眼模糊。

母親的話深深刺傷了她，讓她心痛又生氣，她沒想到母親連讓她解釋的餘地都不留！

整理好情緒後，她離開房間，走向對面的房間，連門都不敲就闖了進去。

正在打電動的沈佑嘉，看到突然跑進他房裡的紀唯嚇了一跳，摘下耳機驚訝地問：「任紀唯，怎麼了？」

「沈佑嘉，麻煩你暫時放下滑鼠，頭轉過來，我有事想問你。」她面無表情道。

沈佑嘉乖乖照做，轉過座椅面向她，「什麼事？」

「你……有一個大你九歲的哥哥，對吧？」

沈佑嘉意外，「妳怎麼知道？」

「這不重要。他叫什麼名字？」

「佑霆，沈佑霆，謝霆鋒的『霆』。」他又補充，「啊，不過他現在應該是姓我媽的姓，所以不姓沈，姓方，方佑霆。」

「那他現在住在哪？」

「我不知道。」他聳肩。

「不知道？他現在在做什麼？在哪裡上班？」

「不知道。」這次他搖頭。

「那手機呢？他的電話號碼總該有吧？」

「沒有，十年前我爸媽離婚，我就再也沒見過我哥，也沒聽我爸媽說他的事。」

紀唯五雷轟頂，像被宣判死刑。

「所以你完全沒有你哥的消息？一點線索也沒有？」

「嗯。」

紀唯覺得自己就快昏厥，她用僅存的力氣問：「難道你爸從來沒跟你說對方的事？你也沒想過去問？」

「呃，其實我不太記得了，我跟哥分開了十年，現在對他幾乎沒印象……」

紀唯的理智斷線，氣急敗壞地罵他一頓：「你這個弟弟是怎麼當的？居然連唯一的親哥哥在哪都不知道，十年來也沒有半點好奇跟關心，到底在搞什麼鬼啊？」

說完，氣沖沖的紀唯便離開房間。

沈佑嘉無辜地摸摸頭、噘噘嘴，然後回頭戴上耳機，繼續玩電動。

紀唯一回房間，便挫敗地趴在書桌上，這時，兩位死黨同時捎來訊息關心。紀唯欲哭無淚，將最新情況報告給他們。

無計可施的她，在社群的搜尋欄上輸入「方佑霆」這個名字，結果沒有任何發現，再度絕望地倒回桌上。

「找得到才有鬼……」

繞了一大圈，還是只能再問沈父。雖然對他萬分愧疚，但紀唯現在能依靠的人只有他了。

可惜沈父這陣子相當忙碌，都加班到很晚才回來，看著他疲倦的面容，紀唯什麼話都問不出口，不好意思在這個節骨眼麻煩對方，讓他更加操煩。

母親的事讓紀唯無比失落、沮喪，這段日子的煎熬，也使她猶豫著是不是應該放棄了……

某個晚上，紀唯正在準備隔天的考試，卻念不太下去。這時，電話響起，是蔡以鈞打來的。

她趴倒在參考書上接起手機，「幹麼？」

「兄弟，我今天突然有很深的感觸——人生真的是非常不可思議，處處皆有意想不到的巧合跟驚喜，永遠都不知道下一秒會發生什麼事。我現在的心情就如同『山重水複疑無路，柳暗花明又一村』那般，澎湃到難以言語啊！」

紀唯一陣無言，涼涼地問：「蔡先生，可不可以說中文？你講的話我沒有一句聽得懂，是念書念到起肖了嗎？」

「我說真的啦，妳聽完就知道了。我跟妳講，今天我媽拿我爸的外套去洗的時候，發現一樣東西，那就是……」

「一個口紅印？」她開玩笑。

「屁啦，怎麼可能？是名片，一張名片！」

「名片？那又怎樣？」她打了個哈欠。

「重點就是名片上的內容啊！上頭印著某個人的名字，就是『方』、『佑』、『霆』！」蔡以鈞語氣激動，「跟妳大哥的名字一模一樣，一字不差。我一看到那張名片，就馬上跟我爸要來了！」

紀唯驚訝到一度恍神，不小心結巴，「那那那……名片上面除了名字，有寫其他資訊嗎？你爸是在哪裡拿到的？既然有名片，一定有印地址吧？」

「有啊，那裡是一間修車廠。」

「修車廠？」

「對，我老爸今天車子開到一半突然爆胎，把車子送去修車廠，就是這個『方佑霆』幫他修車的，名片也是在那時拿到的。」

紀唯啞口無言，心臟急速跳動，想不到會這麼巧，她正想放棄，居然就有一個「方佑霆」出現了！

「明天我把名片拿給妳，修車廠的名字、地址、電話都在上面，妳就賭一賭，搞不好這個人眞的就是妳大哥。」

「感激不盡！蔡頭你眞是我的好兄弟。你明天想吃什麼，我請你！」紀唯開心不已，切掉通話後，馬上將這個消息報告給關旭彥和楊心璦。

儘管她明白，這個巧合讓她順利找到沈叔叔大兒子的機率不高，但至少有一個方向，讓她有所行動，也讓她得以從連日來的鬱悶找到出口。

隔天，她從蔡以鈞手中拿到名片。

那間修車廠離家很遠，必須轉車，但若從學校坐公車過去，半小時內能到達，因此紀唯決定當天練完田徑後，就去那間修車廠一趟。

她想先去偷偷觀察那個人，看看外貌年紀是否相符？等確定對方的身分，再思考下一步。

她曾想過打電話到修車廠，卻擔心這樣做太唐突，如果那人不是「大哥」，她八成會被當成神經病。

去修車廠的事，紀唯沒有告訴關旭彥，也沒有找兩個死黨陪同，畢竟她是要去偷窺，這種蠢事她一個人做就好了，不想勞煩他們。

訓練結束後，紀唯搭上公車，帶著忐忑的心情前往目的地。

過了二十分鐘，她在陌生的區域下車，跟著手機地圖的路線，在餘暉中步行十幾分鐘，最後在一棟隔壁是空地的建築物上，看見掛著藍白相間的長方形招牌。她看清楚招牌上的字，確定就是那一間。

眼看目的地到了，紀唯的心更加起伏不定。

接近側門口時，她放慢腳步，朝店裡頭張望。

四名穿著同款黑色短袖上衣的男人，正在修繕停在店內的兩輛汽車。其中一輛銀色車子被千斤頂抬高，兩位在車底下修理底盤。最靠近側門的男人，蹲在另一輛紅色車子的後方檢查輪胎。最後一位則站在櫃檯前使用筆電和接聽電話。

紀唯在原地張望，看不清他們的面孔，忍不住再往前幾步，更專注地仔細觀察，渾然不知身後有人靠近。

「小姐，有事嗎？」

陌生的男聲響起，嚇得紀唯心臟漏跳一拍。她回頭瞠視背後的魁梧男人。眼前的男人穿著一樣的黑色上衣，右胸口繡有修車廠的名字。他的頭髮偏長，還有燙捲，面上帶著鬍渣，有點藝術家的氣質。從他的外觀，紀唯猜測那人超過三十五歲。

他手裡夾著菸，上下打量紀唯身上的制服，又問一次：「妹妹，有事嗎？」

她沒料到還有第五個員工，一時慌張，竟不小心坦白說出來意：「抱、抱歉，我只是想來看個人。」

「看人？看誰？」

「呃，就是，一個叫方佑霆的人。」腦袋混亂的她，再次脫口而出。

男人眉頭一挑，「妳是他什麼人？」

「我是……」

拜託，根本就還不確定這裡的方佑霆是不是她要找的人，萬一搞錯了，豈不是超尷尬？

她支支吾吾，心中閃過千萬個思緒。

見紀唯一臉失措，欲言又止，男人嘴角翹起，走進店裡高喊：「阿霆，出來一下，有女高中生說要找你！」

聞言，紀唯嚇得臉色發白，她萬萬沒想到那個鬍子男會跑去叫人！

鬍子男一喊完，店裡的四人全停下動作，同時望向門口的紀唯。接著其中三人又將視線轉向另一邊，停在銀色汽車下的某一人身上。

紀唯還不曉得怎麼辦，那個人就已離開車底，困惑地看過來，然後脫下手上的工作手套，朝她走近。

這完全不是紀唯一開始所計畫的，她只是想來偷看一眼，觀察哪一個看起來跟「大哥」的年紀最相近，再調查「方佑霆」是否就是其中一個，只是這樣而已！

紀唯背脊發涼，焦急地闔眼，思考著要怎麼跟對方解釋才不會奇怪。

還沒想出半個方案，她就感覺到那個人已經走到身邊。

直接老實說認錯人就好，就這麼辦！鼓起勇氣睜開眼睛，紀唯直迎站在面前的男人，目光卻就此定住，再也沒移開。

「請問，妳找我嗎？」男人有禮的低沉嗓音，明顯神似某個人。

紀唯張著口，連眨好幾次眼睛，一度懷疑眼前出現幻覺。

這張面孔、這雙眼睛、這個眼神，就連說話時的聲音，都和那個人如出一轍——眼前這個人，根本就是年輕版的沈叔叔！

「同學？」看著紀唯呆掉的臉，他又喚。

紀唯太過震驚，不敢相信有這種事，忍不住低喚一聲：「大哥……」

「大哥？」男人先是疑惑，接著莞爾，「妳是不是認錯人？我沒有妹妹。」

紀唯幾乎已經確定他就是自己要找的人，但她老天，連笑起來的樣子都那麼像！紀唯幾乎已經確定他就是自己要找的人，但她還是跟對方再次確認，「那個……你的父親是沈昱彰先生，對吧？」

語落，對方沒回應，卻怔住了。

賓果！紀唯嚥嚥口水，抓緊書包帶，訥訥道：「若我說對了，那你就是我的大哥，沒有錯。」

方佑霆的眼神比剛才更困惑了。

「不好意思，突然跑來。」紀唯尷尬地清清喉嚨，正式向他介紹，「我是你父親再婚對象的女兒……我叫任紀唯，你好。」

語落，方佑霆的訝異反應，讓紀唯不禁跟著愣住。莫非，他還不曉得自己父親再婚？

兩人沒再出聲，安靜地站在原地，各懷心思地望著彼此……

「這個請妳喝。」

方佑霆走到紀唯面前，遞過一罐飲料，「麥香紅茶，可以嗎？」

「可以，謝謝你。」紀唯恭敬地點頭，看著他在自己旁邊坐下。

他們來到修車廠隔壁的小空地，坐在廢棄的舊輪胎上。

幾顆星星出現在遠方蒼穹，在夕陽下微微閃爍。

紀唯低頭喝飲料的同時，悄悄注意著方佑霆。他神色平靜，但感覺若有所思，紀唯猜測，他不是在想父親再婚的事，就是在想她的事。

果不其然，對方轉頭望向她，「妳是怎麼知道我的？」

「沈叔叔告訴我的。」她照實說。

「包括我在這裡上班？」

「不，這是湊巧。我從朋友那裡拿到你的名片，才找到這裡來。」

他點點頭，終於提出最重要，也最關鍵的問題，「那妳來找我有什麼事？」

「這個……」紀唯躊躇，沒有馬上回答，「我想先請問大哥，聽說你高中畢業後，就一個人搬出來了，對不對？」

「對。」

「是因爲到外地念書嗎？」

「不是，我沒念大學，高中一畢業就工作，一直都待在台北。」

這個答案讓紀唯有點意外，「爲什麼沒有繼續和你母親一起住呢？」

方佑霆嘴角微勾，輕描淡寫，「因爲想讓自己獨立。」

「這樣會不會很辛苦？」她謹慎地問：「你沒想過再和家人一起住嗎？」

發現對方的目光停在她臉上的時間變得更長，紀唯便知道她問得太深入了，下意識抿起嘴唇。

他用不變的沉穩語氣回答：「我習慣了，所以不覺得辛苦。而且，我母親幾年前也已經再婚，有了新家庭，就算我不在，她也不至於寂寞。」

「這樣啊？」她將視線轉回手中的紅茶，深吸口氣，小心翼翼地試探，「那假如……我是說假如，大哥的家人希望你能回去跟他們一起住，你……願意嗎？」

「回去？」

「對，比方說……你的父親。」

方佑霆沒什麼反應，繼續盯著她，不一會，他笑了笑，「妳今天來找我的原因，跟這個『假設』有關嗎？」

面對他彷彿洞悉一切的眼神，紀唯不想再拐彎抹角，於是點頭坦承，「沒錯，因爲大哥的答案，對我來說很重要。」

「爲什麼？」

紀唯低著頭，艱澀啟口：「因爲我……沒辦法跟沈叔叔還有沈佑嘉住在一起。」

紀唯說出口後，方佑霆沒有追問，而是安靜聆聽。

她不自覺說下去：「沈叔叔知道後，開出了一個條件，只要我做得到，他就願意讓我搬出去住一段時間。那個條件就是，讓大哥重新回到這個家，與他們團聚。」

方佑霆眼中閃過愕然，似乎對父親所提的條件感到十分意外。

他沒有問沈父爲何這麼做，漸漸收起訝異的表情，好奇地問：「爲什麼妳沒辦法和他們住在一起？他們對妳不好嗎？」

「不，叔叔非常疼我，我很喜歡他。至於沈佑嘉，雖然剛開始他讓我感到很頭痛，但沒有到非常討厭的地步。是我的心態沒辦法調整……叔叔和我媽結婚前，我非常支持他們在一起，但我們『四個人』正式住在一起之後，問題卻一個接著一個出現……」

她握緊手中的鋁箔罐，壓低聲音，「最後，我發現自己無法再接受叔叔的好意，他對我越好，我就越覺得愧疚。壓力與日俱增，甚至嚴重到無法自在地面對他。再這樣下去，我怕自己有一天會受不了，把叔叔、我媽，還有沈佑嘉傷得更重，雖然……我已經傷害到他們了。不過，我還是希望，在完全接受並釋懷之前，能給自己一點時間跟空間，這樣我才有把握再次面對他們，眞正成爲這個家的一分子。」

紀唯說完，彼此陷入寧靜。

方佑霆沉默良久，緩緩開口：「嗯，其實我……」

「等一下！」紀唯打斷，話聲匆促，「沒關係的，你不用現在就回覆。我……我知道突然對你提出這個要求，你一定覺得莫名其妙，也感到很困擾，但我還是希望你能愼重考慮一下，然後再回答我，可以嗎？」

聞言，方佑霆定定看她，嘴巴闔了起來。

紀唯起身，拿出手機，表情尷尬又抱歉，「我知道這很厚臉皮，但我可以跟你要聯絡方式嗎？我希望還能再跟你聯繫。」

方佑霆點點頭，爽快地給了她聯絡方式。

看著手機裡新加入的好友名單，紀唯安心一笑，「謝謝大哥，如果你考慮好了，隨時可以通知我。」

「好。」

「那……我回去了，眞的對不起，占用到你的上班時間。」

「不會，我送妳去坐車，等我一下。」方佑霆回店內與同事說一聲，就帶著她前往公車站。

兩人並肩行走著，這一刻讓紀唯覺得不可思議，忍不住偷偷觀察對方。

方佑霆的頭髮被微風輕輕吹拂，餘暉將他喉間至鎖骨的線條照得清晰可見，那件合身的黑色上衣，顯得他的身形修長均勻，與沈佑嘉誇張突兀，像是刻意引人注目的造型相比，方佑霆沒有多餘裝飾的清爽感和簡潔感，反而更吸引紀唯的目光。

「妳說妳叫紀唯，對嗎？」他打破沉默。

「對。紀念的『紀』，唯一的『唯』。」她的心跳瞬時漏跳一拍，她好像有點喜歡他叫她名字時的語調，很好聽。

「今年幾年級？」

「高二。」

「十七歲?」見她點頭，方佑霆勾起唇角，「眞沒想到，我有了一個小自己十歲的妹妹。」

「我也是耶!當我知道自己還有一個哥哥，眞的很驚訝。」她認眞打量他，「不過，大哥一點也不像二十七歲，如果你現在背一個包包，手裡再拿本書，說你是大學生，我一定不會懷疑。」

「眞的嗎?」

「眞的，我不是爲了拍你馬屁才這麼說喔!」

他的喉嚨滾出陣陣笑聲，「那我就謝謝妳的讚美了。」停頓一下，他又問：「佑嘉現在好嗎?」

「超級好，永遠有說不完的話跟耗不完的體力，每天都生龍活虎的，我被他糾纏到快累死了。」

「那代表他很喜歡妳，以前他也是一天到晚纏著我，我走到哪，他就跟到哪，連上廁所也不放過我。」

「原來他這毛病從小就有了。」她嘆氣。

方佑霆又笑，眼神驀地變得深沉，「不過，轉眼間他也十八歲，成年了。」他凝望前方，若有所思，「時間過得眞快。」

對方惆悵的語氣，讓紀唯不禁多看他幾眼。

「妳等等應該還要轉車吧？我記得這裡沒有公車直達家裡。」

「對，我要先回學校，然後再轉一班車。」

從他口中聽到「家裡」這兩個字，紀唯有一種奇妙的感覺。

兩人抵達公車站，不久後，紀唯要搭的公車就出現在不遠處。

這時，男人喚她一聲：「紀唯。」

「什麼事？大哥。」

方佑霆看著她，「對不起。」

「咦？」

「我……不會回去。」他臉上露出一抹淒然微笑，「沒辦法幫上妳的忙，我很抱歉，讓妳白跑一趟。」

紀唯思緒停滯，望著對方的眼睛，「無論如何都不行嗎？」

「嗯，對不起。」

他誠摯的語氣，讓紀唯打消了說服他的念頭。

「沒關係，我就不勉強大哥了。該說對不起的是我，突然對你提出這種請求。」

她擠出笑容，「大哥送我到這裡就行了，你回去忙吧。今天謝謝你，再見！」

「好，再見，路上小心。」

方佑霆一轉身，公車剛好到站，停在紀唯面前。

然而，她的視線仍停在對方的身上，腦海裡不斷回放那人隱含落寞的微笑……

突然湧上一股衝動，她朝他大喊：「大哥！」

看見對方回頭，她再喊道：「很高興可以見到你！」

語畢，她笑咪咪地對他大力揮手，隨即踏上公車。

方佑霆怔怔然看著紀唯，站在原地直到公車駛離。

方佑霆回到修車廠，正在吃晚餐的同事們立刻圍到他身邊。

一名身材較胖的男人口齒不清地問：「阿霆，那個小女生是誰？你們是什麼關係？還不快從實招來！」

「大熊，你別邊吃東西邊說話，飯都噴過來了！」方佑霆趕緊擋住他的臉，阻止他逼近。

「好樣的，阿霆，你這傢伙，有好康的居然沒找我！」戴著黑框眼鏡的男人狠狠瞪他。

方佑霆吐槽，「周一銘你少無聊，什麼好康？誰像妳連未成年少女的歪腦筋都敢動。」

「很久沒看到你跟年輕女生在一起了。」兩隻手臂都紋有刺青的男人，慎重其事地說：「人家都找過來了，你該不會是闖了什麼禍吧？聽龍哥一句勸，年輕人不要衝動，要是不小心出事，將來後悔的就會是自……」

「龍哥，你放心，事情絕不是你想的那樣，好嗎？」方佑霆連忙伸手，阻止他接下來的長篇大論。

剛剛幫紀唯叫人的鬍子男，拿著啤酒走來，氣定神閒問：「是你妹妹嗎？我好像有聽到那女孩叫你『大哥』。」

「大哥？阿霆，你有這麼小的妹妹喔？」大熊吃驚。

面對一雙雙好奇的目光，方佑霆無奈應答：「她是我爸再婚對象的女兒，她有事要找我談，所以才會過來。」

「談什麼事？」周一銘滿臉好奇。

「反正不干你的事，周公你只要專心睡覺就好。我要吃飯，快餓死了。」他拿起塑膠袋裡的便當，不再回應。

一群人坐在一起吃便當，盯著電視裡轉播的棒球賽，不時發出激動的吆喝和歡呼聲，唯有方佑霆不發一語。

他看似專注在看電視，其實是掉進思緒裡……

「沈叔叔知道後，開出了一個條件，只要我做得到，他就願意讓我搬出去住一段時間。那個條件就是，讓大哥重新回到這個家，與他們團聚。」

他用筷子夾著便當盒裡的青菜，卻遲遲沒夾起半片。

「雖然……我已經傷害到他們了。不過，我還是希望，在完全接受並釋懷之前，能給自己一點時間跟空間，這樣我才有把握再次面對他們，眞正成爲這個家的一分子。」

「無論如何都不行嗎？」

想起女孩臉上的失落神情，方佑霆凝視著便當，嘴巴無聲地咀嚼著。

「大哥，很高興可以見到你！」

夕陽下的那道笑容與身影，不知爲何讓他當下無法移開視線。

剛好有客人上門，輕輕嘆息後，他放下筷子，把未吃完的便當放到一旁，主動前去招呼，暫時不再想這件事。

翌日，紀唯死氣沉沉的模樣，讓蔡以鈞跟楊心璦感到不對勁。

「兄弟，怎麼啦？昨天給妳名片的時候，不是還很開心嗎？接下來就該去找妳大哥了吧？」蔡以鈞關心地問。

紀唯深深嘆氣，懶洋洋地回：「找到了啦。」

聞言，他們一臉震驚。

「找到了？眞的嗎？」蔡以鈞連忙追問：「妳去修車廠找人了？什麼時候？所以名片上的那個人，確實就是妳大哥嗎？」

正要開口，紀唯餘光瞥見三個女生進到教室，是游佳菱和好友在嘻笑聊天。

她們經過紀唯面前，突然朝她狠狠一瞪，對她投以不屑的眼神。

三人不友善的態度，蔡以鈞和楊心璦也注意到了，蔡以鈞咋舌，「兄弟，看來妳眞的徹底惹到游佳菱了。」

「隨便，我不覺得我有做錯什麼。她自己惹出來的問題，有什麼資格不爽？這種不懂自我檢討，只會責怪別人的傢伙，我理都不想理！」紀唯不以爲然。

注意到身旁的楊心璦忽然變得沉默，紀唯開口關心：「怎麼了？」

「喔……想到是因爲我，害得妳被游佳菱盯上，我就覺得很過意不去。」楊心瑷一臉歉疚。

「別在意，是我要幫妳的，而且妳只是做好自己的工作，全班同學本來就應該配合妳，憑什麼得看游佳菱一個人的臉色？」

「嗯，說得也是。」她點頭，輕輕扯一下唇角。

「就是啊，別再管她了。欸，妳說找到妳大哥了，到底怎麼回事？」蔡以鈞把話題拉回來。

「昨天放學後，我照著名片上的地址去找，確定那間修車廠的『方佑霆』就是我大哥，我也告訴他交換條件的事了。」

「哇靠，兄弟妳太猛了，那妳大哥怎麼說？」

「他說，他不會搬回去。」

「妳有問他爲什麼嗎？」見紀唯搖頭，蔡以鈞忍不住念：「呆耶，妳怎麼沒問？至少要知道他不願回家的原因啊！」

「可是……」想起當時方佑霆臉上的苦澀微笑，她怎樣都問不下去。

楊心瑷憂心道：「那接下來要怎麼做？就這麼放棄了嗎？」

「若能知道他不願意回來的原因，說不定還可以解決，讓他改變心意，可惜我這個笨兄弟什麼都沒問就跑回家了。」蔡以鈞一嘆，接著又問：「那妳大哥長什麼樣子？該不會像沈佑嘉那樣，看起來憨憨笨笨的吧？」

「正好相反，我跟你們說，我大哥跟沈叔叔長得超級像！我見到他的時候嚇了一大跳，他們根本是一個模子印出來的，你們看到一定也會很吃驚！」紀唯一下子振奮精神，滔滔不絕，「不只是長相，連笑起來的樣子也很像。雖然沒有沈叔叔的滄桑成熟，但也給人十分穩重的感覺。反正就是沈叔叔二十幾歲的樣子！」

「哇，我也好想見見本人！」楊心瓔雀躍。

「事不宜遲，我們今天就殺去看！」蔡以鈞提議。

「不行啦！我今天跟關旭彥有約。」

「那就明天，放學後我們直接過去，妳一定要空出時間喔！」蔡以鈞滿臉期待。

田徑隊的練習結束後，紀唯和關旭彥一塊離開學校，兩人手牽手聊著天。

突然間，紀唯的手機響了，是沈佑嘉打來。她無奈地接起，「幹麼？」

「任紀唯，今天秀梅姨沒有煮飯，老爸跟阿姨去喝喜酒，那我們晚上要吃什麼？」

紀唯忍不住翻白眼，「你不會自己去外面買東西嗎？順道跟你說，我今天也沒有要回家吃喔。」

「真的假的？我還想說等妳回來，跟妳一起去外面吃的。」他哀怨。

「拜託，我跟你去吃飯，要是被別人看見怎麼辦？你自己去吃吧，我有約了，會晚一點回去。」

「喔，原來妳是跟關旭彥有約。」

「什麼？」她一愣。

「我原本想找妳去吃飯，所以在校門口等妳一起回家。我看到你們兩個了。」

紀唯望望四周，果真看到沈佑嘉站在校門口的花台前，朝她揮揮手。

關旭彥也注意到了，「咦？沈佑嘉在那裡耶。」

接著，沈佑嘉快步到他們面前，紀唯覺得自己快昏倒。

關旭彥主動打招呼，「嗨，沈佑嘉。」

「嗨！」沈佑嘉笑容滿面，「你們現在要去吃飯嗎？」

紀唯心頭一驚，這傢伙該不會要跟過來吧？

「對啊。」關旭彥點頭，舉起牽著紀唯的手，「等等吃完飯，我們還要去看電影。」

「哈哈，你們真的很甜蜜耶！」

關旭彥笑了，「你怎麼還在學校？」

「我等任紀唯。今天家裡沒人，想找她去吃飯。」

「是喔？眞遺憾，我已經先跟紀唯約了。」

「沒關係啦，你們去玩吧，我隨便買樣東西就好。任紀唯，那我回去囉！」

「嗯。」紀唯突然想起，「對了，記得七點時要把垃圾拿去倒，不要打電動打到忘記了。」

「好，我知道！」

「還有，順便檢查籃子裡還有沒有衣服，如果有，就先丟進洗衣機裡洗，我回家再晾，陽台上的衣服也要收進來。」

「了解，交給我就對了，啊……」他面帶尷尬地問：「那個也要先幫妳收嗎？」

「哪個？」

「就是妳的……」他用嘴型無聲地說出後面的詞彙。

紀唯理解後，臉當場噴紅，「笨蛋，不用啦，那個我自己收，你收你跟叔叔的衣服就好了！」

「喔喔，那我先走了，拜拜！」說完，沈佑嘉就掉頭離開。

紀唯一臉受不了，瞪著他背影。見狀，關旭彥輕笑，「看來這位『哥哥』眞的讓妳很頭大。」

她疲憊長嘆，這時，關旭彥忽然將臉靠近她，她一愣，「怎麼了？」

「沒有啊，只是覺得妳臉紅的樣子很可愛。」他眸裡一片笑意。

「你幹麼……」紀唯再度臉紅。

兩人的唇就要貼上，一道人影出現在餘光所及之處，他們不約而同往旁邊望。

滿臉尷尬的沈佑嘉，僵硬地站在他們面前，怯怯問：「那個……抱歉，我不是故意要打擾你們，只是想再問一下任紀唯，要不要幫她把房間裡的垃圾也一起拿去丟……」

「沈佑嘉！」

紀唯又羞又惱，氣得掄起拳頭朝沈佑嘉搥，當場上演追逐戰。

關旭彥望著這一幕，面色微沉，唇邊的笑意完全消失。

隔天放學，紀唯帶著死黨到方佑霆上班的修車廠。

在公車上，紀唯再次叮嚀他們，「只能遠遠偷看而已喔！絕對不可以跑進修車廠，我不想惹大哥不高興。」

「知道啦，妳說好多遍了！」蔡以鈞翻白眼，「對了，妳剛剛在校門口有沒有看到游佳菱？她又在瞪妳了。」

「隨便，她開心就好。」紀唯面露不耐。

「紀唯，妳還是小心一點，以現在的情況，不要再惹她比較好。感覺她一失控，就會做出可怕的事。」楊心璦語帶憂心。

「安啦，老婆，我才不怕她。」紀唯攬住她的肩，「看到游佳菱這個樣子，我只覺得同情。她再不改改她這種以自我爲中心，愛打腫臉充胖子的心態，到頭來只會把自己弄得更空虛、更悲慘！」

「我同意。」蔡以鈞附和。

楊心璦聞言也點點頭，眼神卻有些黯淡，心不在焉。

三人下車後，再走一段路，就看見那面藍白相間的招牌。

他們隔著馬路在對面觀望，蔡以鈞好奇問：「是哪一個啊？」

紀唯仔細觀察一會兒，「大哥好像不在耶。」

「不會吧？他沒在裡面嗎？」

「嗯，沒看到人。」修車廠裡只有三名黑衣男子，除了方佑霆，那天幫她叫人的鬍子男也不在。

「會不會是出去了？」楊心璦問。

「不知道耶……該不會他今天沒上班吧？」

蔡以鈞難掩失望，「居然這麼剛好，偏偏妳大哥今天不在！」

「那也沒辦法，算了啦，我們回去吧。」紀唯說。

「眞倒楣。」蔡以鈞肩膀一垂，忽然瞪大眼提議，「欸，既然都來了，要不要去逛一下剛才路過的公園，裡面好像挺漂亮的！」

她們點點頭表示同意，三人便到附近一座風景優美的親子公園走走。

逛到一半，蔡以鈞想去便利商店買東西，而紀唯和楊心璦留在圓形廣場前欣賞日落。

「紀唯，妳什麼時候要再來我家？我媽一直吵著要見妳。」楊心璦問。

「對耶！我好像很久沒去妳家了，阿姨常煮好吃的東西給我吃。幸好我有跟她學一點，不然吃我媽煮的菜，我都會戰戰兢兢！」紀唯雙手握著欄杆俯下身拉筋。

「就是嘛，所以我媽一直念我，爲什麼不跟妳一樣，多多向她學習料理？」她嘟嘴咕噥。

「阿姨到現在還在拿我跟妳比較？」

「對啊，我都快受不了，一下子希望我跟妳一樣會跑步，贏一、兩個獎牌或獎盃，一下子又希望我跟妳一樣活潑開朗，別老是悶在家裡看書。雖然我習慣了，還是會覺得煩。」她嘆息。

「阿姨確實有點過頭了，我媽也曾跟我提過……」紀唯兩手一拍，認眞提議，「這樣吧，妳把我的成績單拿回去給妳媽看，我保證，她看完後絕對不會再說這些話了！」

楊心璦噗哧一聲，「紀唯，妳好好笑喔。」

「我講眞的，我回去找找，明天把考最爛的那份給妳，妳一定要拿給阿姨看！」

紀唯一本正經的叮嚀，讓楊心璦笑不停。

「我回來了！」蔡以鈞快步跑來，從袋子裡拿出兩枝冰棒，「這給妳們！」

「哇，謝啦，兄弟！」紀唯立即撕開包裝享用，滿足地道：「這個紅豆椰果冰棒眞好吃。」

「糟糕，我給錯了，紅豆椰果是我的，我幫妳買的是布丁雪糕啦！」蔡以鈞懊惱地叫道。

「那怎麼辦？我已經吃了。」紀唯把咬了一口的冰棒拿到他眼前晃晃，邪笑，「怎樣？兄弟？介不介意吃我的口水啊？」

蔡以鈞「呃」了一聲，卻沒有拒絕，伸出手，「算了，沒差。」

「眞的假的？」

紀唯遞出冰棒，可對方沒接穩，冰棒掉在地上，三人同時尖叫出聲。

「任紀唯，我還沒拿，妳幹麼鬆手？」

「我哪有？明明是你自己沒接好！」

「不管，那布丁雪糕就是我的了。」

「可是你剛剛說，布丁雪糕是要買給我的耶！」

此刻，兩名穿著黑色上衣的男人，提著便利商店的袋子，經過公園外圍。

公園一角傳出陣陣喧鬧聲，吸引了兩人的注意力。

廣場前有三個高中生，鬍子男仔細一看，對身旁的人喚：「阿霆，那不是你家小妹嗎？」

聞言，方佑霆停下腳步看過去，紀唯正忙著搶奪男同學手裡的冰棒，旁邊還有一個女生不停地笑，三人玩鬧在一起的畫面充滿歡樂。

他腦海深處的某個畫面，與眼前的他們重疊了——

「喂，沈佑霆，你的汽水噴在我制服上了！」面貌斯文的眼鏡男孩焦急大喊。

「抱歉，我不小心搖了罐子幾下，哈哈哈！」他毫無憐憫地放聲大笑。

「敬華，你趕快先擦一下。」有著一頭長髮的美麗女孩，將手中的面紙交給他，還幫他擦了擦。

「該死，連書包都沾到了。沈佑霆，你還笑，看我怎麼宰了你，別跑！」

他打開礦泉水朝對方潑，雙方你追我跑。等到女孩笑著出聲制止，他們才搭著彼此的肩，全身溼答答走回來，兩人臉上都掛著開心的笑容……

「眞是青春啊。」

鬍子男的聲音，將方佑霆從回憶裡拉回神。

「從前總是憧憬長大的美好，眞的長大後，反而常懷念以前的單純，因爲什麼事都是第一次經歷，更叫人難忘。」

方佑霆輕哂，「這是大師即將走過四十個年頭的感觸？」

「唉，想當初，我遇見我的初戀女友，就是在他們這個年紀！」他邁開步伐繼續前行，吹起口哨。

方佑霆再望向公園裡的三人一眼。成功搶到冰棒的紀唯，開心地大快朵頤，和男同學也繼續鬥著嘴，笑鬧聲不斷。

他的唇輕輕一揚，提著袋子走過公園。

那天沒能見到大哥，紀唯感到相當可惜。

她想知道對方不願意回家的原因，卻又怕問了會給他帶來壓力，決定再也不見她，這不是她樂見的結果。

其實她是想再跟大哥多多相處的，不談交換條件的事也行。明明是初次見面，她卻不知不覺跟他聊了許多，她還想再跟他多說些話。

只是既然對方已經表示不會回家，接下來她又該怎麼辦呢？

煩惱到最後也沒有解答，紀唯決定放棄苦惱。

她離開座位，走到正在看書的楊心璦身邊，「小璦，要不要去合作社？」

「這……我想留在教室。抱歉紀唯，妳自己去吧。」她歉然地笑。

注意到她神色有異，眼睛也沒對上她，紀唯問：「怎麼了？妳身體不舒服？」

「沒有！」她否認，有些慌張，「妳快去吧，不然等等就上課了。」

「喔。」紀唯又瞅了她幾眼，才走出教室。

往返合作社的這段途中，紀唯隱隱約約感覺到有不少人注意著她，還對著她竊竊私語，她覺得不太對勁。

一進教室，蔡以鈞就跑到紀唯身邊，神色慌張，「兄弟，妳跟我來一下，出大事了！」

把紀唯拉到樓梯口後，他問：「妳聽到消息了吧？」

「什麼消息？」她一頭霧水。

「妳還不知道？」他愕然，「妳跟沈佑嘉同居的事被傳出去了，現在有很多人都在討論！」

「什麼？」紀唯震驚，立刻恍然大悟，方才她接受到的那些異樣眼光代表什麼。

「為、為什麼會傳出去？是誰傳的？」她聲音不穩。

「我也不知道……謠言已經傳得很難聽了，還有人說妳跟沈佑嘉有一腿。妳跟關旭彥交往，就很引人關注了，現在又鬧出這件事，我看不會輕易平息。」

蔡以鈞說完，不久後，楊心璦也匆忙跑過來，「怎麼了？發生什麼事了嗎？」

「我跟沈佑嘉的事被傳出去了。」紀唯咬唇。

楊心璦神色一僵，聲音發顫，「怎、怎麼會這樣？」

「不知道，難不成是沈佑嘉那傢伙說溜嘴了？」她當場撥電話給沈佑嘉。

對方一接通，她便嚴肅地道：「沈佑嘉，馬上到二樓樓梯口，我有急事問你！」

結束通話，紀唯跟他們說了一聲，就前往約定地點。

沈佑嘉抵達後，紀唯立刻上前質問：「你是不是把我們住在一起的事情說出去了？」

「沒有，我一個字都沒有說！」他用力搖頭，神情慌張，「我也不知道爲什麼會這樣，早上突然有一堆人來問我，嚇都嚇死了！」

「如果你沒說，事情怎麼會傳出去？我跟你的事根本沒幾個人知道。」

「任紀唯，我發誓我眞的沒有告訴別人，拜託妳相信我，我也想知道到底是誰說出去的！」他一臉懊惱，「現在要怎麼辦？」

「既然被發現了也沒辦法，現在謠言已經被傳得非常難聽，完全偏離事實。避免越描越黑，我們就老實說出我們父母結婚就好。我相信謠言止於智者，等風波平息吧。」

「好吧。」沈佑嘉乖乖聽從。

雖然發生這種事，紀唯也認爲情況不至於變得更糟。而關旭彥聽到消息後，也答應會幫他們澄清。

然而，謠言仍如星火燎原般不斷地延燒，彷彿有人故意加油添醋、搧風點火。到最後還傳出，有人親眼看見紀唯腳踏兩條船，多次瞞著關旭彥和沈佑嘉偷偷約會。甚至連兩人父母的事，也變成大家討論的話題。

紀唯不曉得要如何制止這些惡意謠言，又要如何應付相信謠言的那些人，面對各種流言蜚語與質疑眼光，她只能在心裡哀怨。

「把書收起來，準備考試了！」

講台上的英文老師一喊，全班同學紛紛收起課本。

紀唯將書放進抽屜時，瞥見坐在附近的游佳菱看了她一眼。

一望過去，對方已轉回視線，接過前方同學傳來的考卷。紀唯不以爲意，低頭寫著考卷。

時間一分一秒過去，紀唯伸手要拿筆袋裡的立可帶，卻摸到某個東西——一張對摺成四角形的白紙，她完全不知道筆袋裡何時有這東西。

她納悶地將紙攤開，赫見上頭有一整排的英文單字！

就在這時，游佳菱用宏亮的聲音高喊：「老師，任紀唯作弊！」

霎時，全班同學愕然地看向紀唯，講台上的老師也訝異道：「什麼？」

游佳菱說：「任紀唯一直在偷看手上的白紙，上頭好像有寫一些單字！」

所有人議論紛紛，老師迅速地走到紀唯面前，伸出手，「任紀唯，那張紙給我看一下。」

紀唯將紙交給老師，她接過紙條一看，發現上頭的單字，正是這次考試的內容。

老師嚴肅地問：「任紀唯，這是怎麼回事？」

「我不知道，我要拿立可帶，就發現它出現在我的筆袋裡。」紀唯冷靜回應。

「妳的意思是，妳不知道這張紙條爲何會出現在妳的筆袋裡？」

「對。」

班上再度傳來騷動。老師望著紀唯，將紙條收進口袋，「下課後，妳到導師室來找我。」然後對躁動的全班厲聲喊：「安靜，繼續考試！」

紀唯望向游佳菱，對方對她得意一笑，愉悅地回頭寫考卷。

下一堂課開始前，紀唯從導師室回來，一進教室，班上同學看她的眼神都變了。

兩名死黨拉著她到走廊，蔡以鈞憂心問：「兄弟，妳還好吧？」

她點點頭。

「這是怎麼回事?怎麼會突然……」楊心璦焦急。

「是游佳菱。」紀唯淡淡地說:「有人在我的筆袋裡偷塞紙條。看到她的表情,我就知道必定跟她脫不了關係。」

「哇靠,所以是她故意栽贓妳?那個女人下手居然這麼狠!」蔡以鈞震驚,楊心璦的臉色也刷白。

「嗯,我能肯定是她。幸好我跟英文老師的交情不錯,她也願意相信我的為人。雖然考試分數以零分計算,但她答應我,暫時不將這件事告訴我們班導。」

「看不出筆跡嗎?」蔡以鈞問。

「想必對方早就動過腦筋了,是打在電腦上再列印出來,所以沒直接證據證明是游佳菱做的。」

聞言,兩人頓時無言以對。

★

謠言尚未平息,又發生作弊事件,對紀唯而言無疑是雪上加霜。

隨著不利於她的消息越來越多,班上同學也紛紛跟她保持距離。

但這些問題,都比不上另一個更讓她心煩不解的。

自從被游佳菱誣陷，楊心璦就開始避著紀唯，不再主動找她說話。當紀唯問起，她不是閉口沉默，就是閃爍其詞，不願意與她多說一句。

蔡以鈞也同樣萬分不解，因為楊心璦連他一起疏遠了。

「小璦是不是也懷疑我有作弊，怪我不承認？」紀唯不得不下這個結論。

「怎麼可能？妳們認識多久了？她怎麼會不了解妳的為人？我相信她不會懷疑妳！」蔡以鈞頓了頓，眉頭深鎖，「但那傢伙確實變得很不對勁，仔細想想，從妳幫她跟游佳菱要錢之後，她和我們相處時，就經常心不在焉，彷彿有心事。如果她是因為害妳被游佳菱陷害，覺得對妳有愧，決定疏遠妳……也不合理啊！」

紀唯面色沉重，無聲嘆息。

「那妳男友呢？他還好吧？」

「他忙著準備考試，雖然他沒說什麼，但還是看得出來他很累。那些謠言又沒完沒了，一定多少會影響心情的吧。」

「我想也是，現在一堆人都在說他被戴綠帽、很可憐，同情他的遭遇。也有人笑他，女友跟別的男生住在一起，身為男友的他居然還能無動於衷，尊嚴都沒了。我要是關旭彥，自己被講成這樣，鐵定也會不爽！」

她抿抿唇，沒有回答，再次嘆一口氣。

田徑隊的練習結束後，她和關旭彥坐在司令台上，彼此之間瀰漫著低氣壓。

「抱歉，都是因爲我，害你被亂講話。」紀唯低語。

「這又不是妳的錯，是那些人吃飽太閒，惟恐天下不亂。」他微笑，「就讓他們去說吧，不用理他們。」

「嗯。」

「對了，紀唯。」他接著開口：「妳說想搬出家裡的事，現在怎麼樣了？」

「喔……目前陷入膠著。」她苦笑，「我大哥不願回來，我打算放棄了。」

關旭彥面露愕然，「我覺得不用這麼快就放棄啊，再和妳大哥談談，說不定會有進展。」

「可是我已經答應不會勉強他，要是又爲這件事去煩他，大哥人再好，也一定會生氣。」紀唯甩甩手，「算了，我也不想再因爲我的事，給其他人添麻煩，傷我媽跟叔叔的心。就這樣吧，我放棄搬出去了。」

關旭彥臉色一沉，急忙地說：「不然我陪妳再去找大哥好了，妳好好跟他說妳的狀況，也許他會再考慮一下……」

紀唯堅決搖頭，「不必了，我不會再爲這件事跑去煩人家，反正我不會搬——」

「可是我希望妳搬出去！」

關旭彥突如其來的大吼，讓紀唯大吃一驚。她抬頭對上他的眼，他眸裡有著清晰的焦躁。

「抱、抱歉，我不是故意要凶妳的。」他連忙收拾情緒，放軟聲音，「我只是希望妳能再跟妳大哥談一次，我相信……」

「爲什麼你希望我搬出去？」

對方沒回應，紀唯愣愣地追問：「你該不會在懷疑我跟沈佑嘉吧？」

關旭彥沒承認，但沉默卻替他坦承了一切。

紀唯不敢置信地笑了一聲，「欸，不會吧？你怎麼……你也相信那些謠言，認爲我跟沈佑嘉確實有一腿，懷疑我做出對不起你的事？」

「不是，我當然不相信那謠言，但是……」他咬牙，「雖然妳一開始並不喜歡沈佑嘉，可你們每天相處，不可能永遠都討厭他。而且有些事情，就算現在不會變，也不保證將來不會變。」

「你到底在說什麼，我跟沈佑嘉怎麼可能變成你想的那樣？你到底爲什麼會有這種想法？」紀唯錯愕不已。

「我很不安！」他語氣一衝，「雖然你們現在是兄妹，但在妳繼父跟妳媽媽交往前，你們也只是陌生人，這跟一般的手足完全不同。剛開始我也沒想這麼多，直到發現妳跟沈佑嘉之間的氛圍逐漸改變，我想，妳不會一直都厭惡他，所以我很擔心，沒辦法控制這種心情！」

紀唯呆若木雞，「所以你改變心意支持我搬出家裡，是因為這個理由？你認為沈佑嘉足以威脅到你？你就這麼不相信你自己？」

「不是這樣，我是——」他硬是把話嚥回去，不再開口。

從他的反應，紀唯明白了一切，「原來如此，你不相信的是我。」

她冷冷說完，就跳下司令台，頭也不回地離開操場，朝校門走去。

「關旭彥真的這麼說？」

當晚，蔡以鈞聽完這件事，在手機另一頭驚訝嚷嚷：「他是瘋了嗎？我以為他很理智，終究還是輸給那些謠言？」

紀唯坐在書桌前，用手撐額，語氣充滿疲憊，「我真的完全沒想到他會這樣。我到現在才知道，他其實非常不希望我跟沈佑嘉住在一起，真心想要我搬出去。雖然這也是我本來的想法，但他的理由……」

她委屈得鼻頭一酸，「我很生氣，真的非常非常生氣！」

「兄弟，別這樣，我相信他只是一時情緒激動。我能理解他，就算對方是沈佑嘉，自己的女朋友跟別的男生朝夕相處，會不安很正常，這代表他在乎妳。」

「但他怎麼可以不相信我？還說什麼『現在不變，將來也未必不會變』，感覺就是認定我有一天會移情別戀，對沈佑嘉產生感情，這太過分了吧！」

「好啦，妳先別激動。他說出這樣的話，確實是很不應該。」他連忙安撫，「若關旭彥還是執意要妳搬出去，那怎麼辦？」

「這還用說，就分手啊！」她想都沒想就脫口而出。

手機那頭瞬間靜默，蔡以鈞問：「妳是講眞的？」

「對，我已經和他說清楚，大哥就是不打算回來，若他繼續逼我，我們就沒什麼好談的了！」

「兄弟，妳現在已經氣昏頭了，冷靜一點。搞不好關旭彥明天就會想通，先別這麼衝動，等過一段時間再跟他好好談，ＯＫ？」

通話結束，紀唯閉上眼睛，不斷來回深呼吸、消化情緒。

突然間房門被敲響，她起身開門，是沈佑嘉。

「幹麼？」

「我……可以跟妳談談嗎？」他問得小心翼翼：「一下下就好，我有重要的事想問妳。」

紀唯看他一眼，默默轉身回到書桌前。

沈佑嘉關上門後，單刀直入地問：「妳跟關旭彥吵架了？」接觸到對方的冰冷目光，他趕緊道：「抱歉，我經過門口，不小心聽到妳講電話的內容，不是故意要偷聽的啦！」

紀唯瞪他，接著別過頭，沒有回應。

「他眞的誤會我們兩個了？」

紀唯不發一語。

「妳剛才說，關旭彥希望妳可以從這裡搬出去，而妳本來也有這個想法。」他訥訥問：「妳眞的想要離開這個家喔？」

沈佑嘉略帶落寞的口吻，讓紀唯不禁回頭。一抬眼，她對上一對黯淡的眼睛。

「是不是因爲我老是惹妳生氣，妳才想搬走？」他面帶愁容，焦急得像個小孩，「任紀唯，對不起啦，以後我會安分的，不在回來路上跟妳打招呼，也不會在關旭彥面前跟妳說話，所以妳別搬走，好不好？」

紀唯怔怔不語，最後低下頭。

沈佑嘉可憐兮兮的挽留，讓她喉嚨乾澀，胸口發疼。

自心底湧上的歉疚，讓她無法再面對那雙清澈眼睛……

★

之後的幾天，對紀唯來說是相當難熬的日子。

她和關旭彥幾乎沒有聯絡，就算練習時遇到也不會交談。

在班上，以游佳菱爲首的小團體，時不時就對紀唯落井下石，紀唯也漸漸被同學孤立。而這反而讓游佳菱更加得意忘形，從一開始的指桑罵槐，到後來完全不避諱，當著紀唯的面冷嘲熱諷。

紀唯坐在位子上，看著跟其他女生聊天的楊心瑷。

隨著紀唯被同學孤立，楊心瑷也不再跟紀唯說話。偶爾四目相接之時，楊心瑷還會迅速閃躲。

放學鐘聲一打，楊心瑷快速收拾書包，離開教室。看著她的身影，紀唯沒有多考慮，決定追上去。

然而，楊心瑷跑得更快，不一會兒就消失在走廊盡頭。原本想找她說話的紀唯只能放棄，獨自下樓。

走到一樓時，她聽見樓梯後方傳來耳熟的聲音，其中一人的語氣有些激動，像是在爭吵。

紀唯認出那道聲音，二話不說地走上前——楊心瑷和游佳菱及她的兩個朋友站在一起！

游佳菱雙手抱胸，擰眉瞪著楊心瑷，「所以呢？妳現在是怎麼樣？這麼快就心軟了？」

「這跟我們一開始講好的不一樣！是妳說，只要讓大家知道紀唯跟沈佑嘉住在一起的事就好，但是妳後來又誣陷紀唯作弊，散播不實謠言，現在班上已經沒有人理紀唯了，夠了吧？」楊心璦語氣急促。

「喂，楊心璦，妳不是也看任紀唯不爽很久了嗎？我是在幫妳出氣耶，妳不感激我就算了，還反過來怪我！」游佳菱更加不悅，冷哼一聲，「妳別忘了，跟我說任紀唯和沈佑嘉同居的人可是妳，而且我把紙條塞到任紀唯的筆袋時，妳明明也有看見，但妳沒有跟任紀唯說，事後也沒幫她澄清啊！少裝作不知情的樣子，這些事妳也有份。而且，要做就做到底，最好讓任紀唯再也沒辦法在學校待下去！」

游佳菱和好友們離開後，楊心璦仍杵在原地不動。

她頹喪嘆息，一轉身，看見紀唯就站在眼前，嚇得臉色發白。

「小璦。」紀唯冷靜開口：「是妳把我跟沈佑嘉的事告訴游佳菱的？」

楊心璦不發一語。

「剛才游佳菱說，妳看我不爽很久。」她眼角重重抽動，「這表示妳一直都對我很不滿嗎？」

楊心璦說不出話，低頭掩嘴顫抖。

從她眼中墜落的淚，震碎了紀唯的心。

天空被一整片烏雲籠罩，不久後落下毛毛細雨。

走進無人的體育館，紀唯把書包丟到一旁。

站在籃框下的蔡以鈞瞧她一會兒，將手中的籃球傳給她，「妳還好吧？」

「不好。」紀唯接過球，雙腳一躍，俐落地投籃。

「後來楊心璦怎麼說？」

「什麼都沒說。」她撿回籃球，瞄準籃框再投一次，「只是一直哭。」

籃球落地的聲音，在只有兩人的體育館裡格外響亮。

紀唯一次次投籃，球卻總是打到籃框。她不死心，不斷地投，直到球滾到遠處她才停下。

她走到角落的一座單槓前，兩手抓住桿子，雙腳騰空，像盪鞦韆似地前後晃來晃去。

「關旭彥那傢伙，到現在都沒跟妳聯絡？」蔡以鈞問。

「對啊。」紀唯撐著身子，笑著輕喘，「看不出來吧？原來他這個人脾氣也挺硬，賭起氣來一點也不輸我媽。」

她雙腳合併，奮力往上一盪，整個人翻轉到單槓上。

蔡以鈞擰眉叮嚀，「喂，小心一點。」

「安啦，我有穿安全褲。」

「我又不是擔心這個。」

紀唯坐在單槓上，輕嘆：「會擔心我的人，現在也只有你了吧？」

她轉過身面向窗戶，看著外頭的雨，「小璦討厭我，關旭彥也氣我，怎麼辦呢？段考就快到了，這樣還有誰能幫我補功課呢？」

「我愛莫能助。」蔡以鈞聳肩。

「我們現在是難兄難弟啊。」紀唯噗哧一笑，晃晃雙腳，「欸，我突然想起你跟我說過的一句話：人生眞的很不可思議，永遠都不知道下一秒會發生什麼事。就跟坐雲霄飛車一樣刺激，根本還來不及反應，事情就莫名其妙發生了。」

她眼神遙遠，緩緩道：「小璦……我不曉得她爲什麼會這樣。而關旭彥到現在都還不肯站在我的立場想。蔡頭，你覺得我該怎麼辦？我已經知道他的想法，也知道他可能不會改變了。建立在懷疑跟不信任的感情，要怎麼維持？」她咬緊下唇，「我跟他還要繼續下去嗎？」

蔡以鈞沒有回答。

紀唯抓緊桿子，將屁股往後滑，再用膝蓋夾緊桿子，身子緩緩往後躺，最後閉著眼睛，倒吊著不動。

「如果我回答妳，妳會聽嗎？」蔡以鈞出聲。

她露齒一笑，「如果是你說的，我當然會考慮囉！」

語畢，她沒再聽到對方說話，只聽見逐漸靠近的腳步聲。

紀唯還沒意識到有人走到她身邊，雙唇就已被一片溫熱輕輕覆上……

她瞬間睜開眼睛！

蔡以鈞一手抱著籃球，俯身吻了她。

兩人的唇分開，紀唯僵直不動，驚愕地盯著對方。

「如果是我，當然希望妳跟關旭彥分手。」蔡以鈞認眞告訴她，「我一直很想要這麼做，從國中開始……就想這麼做了。」

紀唯呆若木雞，腦袋空白。

「我從國中就喜歡妳了，妳不知道吧？」

她啞口無言，許久才能發出聲音，「我以爲……我們是兄弟……」

「我知道，所以我從沒告訴妳。知道妳跟關旭彥在一起，我就想，那就繼續當妳的好兄弟吧！可是老實講，你們交往後，我越來越無法確定自己能忍多久，因爲我眞的很難受。妳跟他吵架，在電話裡說要跟他分手，我其實很高興，開心到想要大叫。」

語落，他失笑，「不過，現在我更確定，就算沒有關旭彥，妳也不可能會喜歡我，所以，我決定放棄了。」

她靜靜地看著他，一言不發。

「抱歉，兄弟，在這種時期對妳說這些。」他眸一斂，歉然道：「這是我最後一次這樣叫妳，因為我再也無法把妳當兄弟。希望……妳可以原諒我。」

說完，蔡以鈞拿起書包，離開體育館。

紀唯依舊動彈不得，直到快不能呼吸，就要腦充血，才趕緊從單槓上下來，卻因為手滑沒抓穩，差點墜下摔得狗吃屎！

現在是怎樣？

現在到底是什麼情況？

老天爺是嫌她碰到的問題還不夠多嗎？

「我從國中就喜歡妳了，妳不知道吧？」

一連串的巨大打擊，使紀唯的腦袋瓜亂成一團，幾乎就快炸開。

她神情呆滯，茫然地坐在體育館裡，直到雨停。

天色已完全暗下，紀唯拖著疲憊的身軀回到家。

她找出鑰匙正準備開門，此時的屋裡傳來陣陣笑聲，沈父、任母和沈佑嘉都已經回來了。

她聽著那三人的笑聲許久，慢慢放下要開鎖的手，轉身走向電梯，離開公寓。

一個小時後，紀唯站在那片空地，望著眼前那塊藍白相間的招牌，尋找著某個人的身影。

她不曉得自己爲何會跑來這裡，她只是想著先不要回家破壞家裡的和樂氣氛，然後想著還有哪裡可去。

想著想著……她不知不覺搭上公車到學校，再轉一次車來到了這裡。

時間接近八點，她發現了方佑霆的身影，注視著他一段時間。

紀唯正要掉頭離開，站在門口的周一銘剛好看見她，走到方佑霆身旁說：「阿霆，我好像看見你家小妹！」

「什麼？」他抬眸。

「那邊啊，上次來找你的女高中生，不是你小妹嗎？」周一銘指著馬路對面，「已經走到那邊去了。不曉得是不是我看錯，你小妹的臉色似乎不太好，會不會發生什麼事？」

聞言，方佑霆朝對街一望，這時龍哥對他說：「阿霆，你就過去看看，不然小妹走遠了。」

「好。」方佑霆拿起自己的東西，離開修車廠。

他跑到對街找，很快就在人群中發現紀唯的身影。

下過雨的夜晚，氣溫驟降，可她身上僅穿著單薄的制服，獨自一人緩慢行走。

方佑霆沒有立即上前叫人，而是隔著一小段距離跟在她的後方，觀察狀況。

紀唯始終垂著頭，步伐沉重。即使側臉被頭髮遮住了一半，仍隱約流露出她落寞的神情。

忽然，她的右腳被地磚隙縫絆了一下，差點跌倒，她忍不住蹬了地面一下，表達對那塊地磚的不滿。

看到這一幕，方佑霆不禁笑了。

紀唯在街尾停下，等著過馬路，方佑霆這才拿出手機撥出電話。

手機的來電鈴聲讓紀唯從茫然中回神，看見來電者，她有些訝異，馬上接起電話，「喂？」

「我同事看到妳出現在修車廠附近。」方佑霆好奇問：「妳是來找我的嗎？」

紀唯愣了一瞬，語氣尷尬，「呃……其實，我也不曉得我爲什麼會跑過去。我只是單純想出來走走，並不是有事要找大哥……」

見她伸手摸了一下頭，方佑霆的嘴角翹起，「走得這麼遠啊？」

她不知道該怎麼解釋。

「妳的聲音聽起來沒什麼精神，發生什麼事了嗎？」

對方的關心，讓紀唯一時語塞。

綠燈了，身旁行人紛紛穿過馬路，她仍站在原地不動。

「天氣有些涼，別在外頭逗留太久。」他溫聲道：「早點回去吧，不然家人會擔心喔。」

馬路上的一排車子，在燈號改變後，往前方行駛。

「家人……」她輕問：「包括你嗎？」

方佑霆微微一怔，望著女孩的身影，他沉默片刻，微笑，「包括我。」

對方的溫柔回應，讓紀唯忍不住抿唇，鼻頭跟著酸了。

「我……沒什麼事，你不用擔心，我現在就要回去了！」

儘管女孩用開朗的聲音說，方佑霆還是聽得出她在逞強。他沒多問，只說：「如果下次又想走走，可以直接到修車廠跟我打聲招呼。不管是無聊，還是心情不好，只要妳來，大哥都很歡迎。」

這是方佑霆第一次對她自稱「大哥」。

紀唯喉嚨一哽，被對方的暖意感動，啞聲回應：「謝謝大哥。」

切掉通話後，方佑霆放下手機，目送紀唯跟著一行人過馬路，往回程的方向走，最後消失在視線中。

下課時間，紀唯孤零零地站在走廊上，眺望操場。

會在她身邊聊不停的死黨們，如今都離開她了。楊心璦不願面對她，她也不曉得怎麼面對蔡以鈞。

直到這一刻，她才發現自己其實一點都不了解那些重要的人們。

她與關旭彥也已經冷戰許多天，紀唯不想在這時候見到他，深怕對方一開口，就是跟她提搬家的事，更讓她心寒的是，居然只有談到這些，關旭彥才願意跟她說話。

看著情緒低落的紀唯，沈佑嘉也很擔心，常敲她的房門找她，卻總是吃閉門羹。深受打擊的紀唯，無法再對任何人打開心房，越來越沉默，燦爛笑容不再。

某天下午，打掃時間結束，負責外掃區的紀唯提著水桶回教室。

一進教室，她便發現同學們聚在一起議論紛紛。還沒搞清楚發生什麼事，有個男同學對她說：「任紀唯，妳還不趕快去關心一下？」

「什麼?」她不解。

「沈佑嘉剛才跑去關旭彥班上找人，聽說兩人吵得很凶，還準備開打了!」

紀唯僵住，丟下水桶衝去三年級教室。

關旭彥的教室門口聚集一堆看熱鬧的學生，紀唯上前喊了聲「借過」。

女主角來了，所有人挪出空間讓她通過。

進到教室後，情況沒有同學說的那麼誇張，沈佑嘉確實站在關旭彥面前，但雙方沒有打起來，只是大眼瞪小眼，僵持不動。

一觸即發的氣氛，使四周同學都不敢輕易靠近。

紀唯衝去抓住沈佑嘉，焦急喊：「你在幹麼?跑來這裡做什麼?」

「我要跟關旭彥說他誤會了啊，但他不肯聽我解釋!」沈佑嘉又氣又急，「我一直重申，我跟妳完全不是他所想的那樣，可是他不相信我!」

「我不是不相信，而是我根本就不想聽你說話。莫名其妙跑到別人教室指著對方鼻子罵，這叫解釋嗎?立刻離開我們班，馬上!」關旭彥表情慍怒，口氣冰冷至極。

「我哪有罵你?我一直叫你，你卻不理我!」沈佑嘉辯解，「拜託你別冤枉任紀唯好不好?她眞的沒有做出對不起你的事!」

「夠了!我說了，我不想聽，你趕快給我離開這裡!」關旭彥大吼。

就在這時，一名暗戀關旭彥的女同學站出來說：「任紀唯，妳也解釋一下吧?妳知不知道，關旭彥因爲妳一直被人說閒話，眞的很可憐！如果妳跟沈佑嘉是清白的，怎麼會出現那種謠言？」

她斜睨著紀唯，言詞尖銳，「而且，聽說妳上次考試作弊被抓到還不承認，這根本就是人格有問題吧？要大家怎麼相信妳？」

沈佑嘉激動喊：「妳別亂講話，任紀唯才沒有作弊，她不可能會做這種事！」

紀唯抓住沈佑嘉的手，不讓他繼續說。

她轉頭看向面色陰沉，悶不吭聲的關旭彥，「你現在不說話，是認爲我確實有作弊，還是因爲你在生我的氣，所以不想幫我解釋？」

關旭彥仍不說話，默默別過頭。

紀唯心冷至極，「我明白了。沈佑嘉，我們走吧。」

「等一下，任紀唯，妳快點跟關旭彥澄清，爲什麼不解釋？」

「不需要！」紀唯大吼一聲：「對一個口口聲聲說相信我，結果表現得完全不是那麼一回事的人，解釋再多也只是浪費時間！」

關旭彥的臉色一陣青，轉回視線，對上的是一雙憤怒冰冷的眼睛。

「我們走。」她撇開頭，不再看關旭彥，硬拉著沈佑嘉走出教室。

離開的路上，沈佑嘉心急地說：「眞的就算了？這樣妳跟關旭彥不就沒辦法和好了嗎？」

紀唯猛然轉過身，嚴肅地對他說：「我告訴你，我不會接受一個表裡不一的人。我媽曾講過，兩個人在一起，最重要的就是尊重跟信任，如果關旭彥做不到，就證明他不適合我，更不值得我喜歡！」

她冷冷地說：「你不必再去找關旭彥說什麼，我跟他已經結束了。」

說完，紀唯甩頭就走。

一回教室，頂著同學的異樣眼光，她回到座位，聽見游佳菱出言諷刺，「關旭彥眞可憐，喜歡上這種人，實在太衰了。但任紀唯可以讓兩個男生爲她爭風吃醋，證明她勾引男人的手段厲害，跟她媽媽一樣。」

紀唯面無表情地瞪著她，「游佳菱，妳說什麼？」

「我又沒說錯，國中時就聽說妳媽交過不少男朋友，換男友的速度也很快。果然『有其母必有其女』，擅長把男生騙得團團轉，妳就是跟妳媽媽學——」

游佳菱還沒說完，紀唯就已經衝上前，狠甩對方一巴掌！

紀唯神色冷峻，咬牙切齒，「游佳菱，妳愛怎麼整我都隨便妳，我不會跟妳計較，但這不代表妳可以隨便羞辱我媽！妳給我聽好，再讓我聽到妳汙衊她半個字，我絕不放過妳！」

游佳菱呆住不動，雙頰漲紅，激動尖聲，「任紀唯，妳居然敢打我！」她回敬紀唯一巴掌，「不要臉，妳跟妳媽都不要臉！」

紀唯猛然將她推向後面的櫃子，雙方打了起來。

兩人的衝突驚動到師長，最後皆被叫去訓話。

「妳們兩個爲什麼打架？」教官盯著掛彩的她們問。

兩人沉默不語。

「如果妳們不說，也不跟對方道歉，我只好通知妳們的家長。要這樣嗎？」

紀唯一聽，直接轉過身，面無表情地對游佳菱說：「對不起，游佳菱，我不該打妳，請妳原諒我。」

教官滿意地點點頭，看向另一人，「游佳菱，妳呢？」

游佳菱沒想到她會這麼乾脆地道歉，縱然不情願，還是硬著頭皮回答：「對不起……」

雙方都道歉後，教官又耳提面命幾句才放她們離開。

走出學務處時，游佳菱狠狠瞪了紀唯一眼，甩頭就走。

聽聞消息的沈佑嘉，早已在學務處門口等候。他瞅著紀唯，神情驚慌，「妳沒事吧？欸，妳的臉受傷了耶！」

「沈佑嘉，今天發生的事，別讓叔叔跟我媽知道。什麼都不許說，明白嗎？」

紀唯眼底的嚴肅，讓他無法拒絕，只能答應。

放學時，紀唯收好書包，餘光瞥見楊心璦朝她這邊瞄了一眼。

她對上楊心璦的視線，對方面色一白，立刻撇開眼，頭垂得低低的。

紀唯沒有理會，背上書包，走出教室。

★

傍晚七點五十五分，修車廠前。

大熊、周一銘和龍哥擠在牆後觀察，不敢大聲說話。接著，他們拉過剛送走客人的方佑霆，朝小空地的方向一指——紀唯將書包放置在腳邊，坐在空地的輪胎上發呆，頭低得幾乎看不見臉。

見狀，方佑霆走到她面前蹲下，這角度正好能與她平視。

「紀唯？」他喚道。

聽見聲音，紀唯才察覺方佑霆來到跟前，但她沒抬頭，沉默不動。

儘管女孩試圖掩飾，然而這樣的距離，仍讓方佑霆發現她左臉頰的傷。他沒有大驚小怪，也沒有緊張，只平靜地問：「妳的臉怎麼了？」

「沒什麼，不小心摔跤弄傷的。」

方佑霆揚起一抹笑，「可以看著我的眼睛再說一次嗎？」

紀唯緩緩抬頭，與他四目相交的這一刻，看見微光在他眸裡若隱若現，彷彿有一片夜色倒映在那雙眼睛裡。

對方專注的目光，讓她感覺被看透。她狼狽地再次垂眸，坦言：「我跟同學打架，被對方抓傷的。」

「痛不痛？」他不問理由，只關心傷勢，「還有沒有哪裡受傷？」

她搖頭。

「好，那我去拿急救箱，妳等等。」正起身，紀唯就叫住他，於是他停下，「怎麼了？」

「我有一件事想問大哥。」

她盯著地面，艱澀地說：「假如……你和你女朋友大吵一架，兩人冷戰中，這時，你的女友遭人陷害，被冠上足以詆毀名譽跟尊嚴的罪名，實際上她是無辜的，在你們還沒和好的情況下，有人當著眾人面前嘲笑並羞辱你的女友，這種時候大哥會怎麼做？會因爲還在生女友的氣，選擇默不作聲，還是會暫時放下怒氣，站在女友這邊？」

聽完紀唯的問題，方佑霆毫不猶豫回：「當然是站在女友這邊。」

聞言，紀唯愣愣抬頭。

「看到自己的女友被嘲笑羞辱，哪個男友會不生氣、不心疼？」方佑霆一字一句地說：「不管兩人吵了多嚴重的架，男生一定知道，這是對方最傷心脆弱，也最需要男友支持的時候。如果因爲跟女友賭氣，選擇冷眼旁觀，代表這個男生還不夠成熟，分辨不了事情的輕重。更重要的是，這關係到對彼此的信任，若男生在那種情況下悶不吭聲，不就會讓女生覺得，他也跟大家一樣懷疑她？這種時候的緘默，對女生的傷害才是最深的。」

他繼續緩緩說道：「只要男生還喜歡著女生，我相信他不會捨得讓對方受到傷害。若他最後還是讓女生受傷，這段感情很難維持下去，因爲信任一旦被摧毀，不是一句道歉就能輕易補救的。」

紀唯怔了許久，眼眶漸漸湧上熱意，雙唇顫抖。

「所以……」她用極小的音量說：「我並沒有做錯，對吧？」

他不語。

「抱歉，大哥。」她將頭壓得更低，「你現在可不可以先別看我？」

「好，我不看。」他坐到她身旁，拍拍肩膀，用輕鬆的口吻說：「但如果妳需要肩膀，大哥可以借給妳。」他想讓紀唯打起精神。

她稍稍抬起泛紅的雙眼，沒多久，將頭輕輕倚靠在他肩上。

女孩身上的淡淡清香，隨著這陣微風，在他鼻腔內慢慢擴散。

是似曾相識的風。

「沈佑霆，你會站在我這邊的，對吧？」

腦海響起熟悉的女聲，方佑霆一時陷入過往的記憶。最後，他將目光轉回紀唯身上。

一陣冷風吹來，他隱約感覺到她單薄的身子輕輕顫動。

看著情緒低迷的女孩，方佑霆忽然有些想念，她第一次來找他時，在暮色下對他露出的燦爛笑容。

涼風再次拂來，紀唯瑟縮了下，見狀，方佑霆下意識想伸手繞過她的背，卻立刻停住。

察覺到自己的舉動，他不禁輕哂，打消這個念頭。

眼前這個妹妹，讓人挺掛心的。

★

緊接而來的段考，讓紀唯沒時間為關旭彥的事難過，她也不想再為他難過。

即使她把自己丟進書本裡，還是無法靜下心，那段有好友在身邊監督她讀書的日子，不會再回來了。

段考第一天，一敲下課鐘，紀唯便倒在椅背上，她很確定，這次眞的完蛋了。

收拾書包準備回家，這時，她發現抽屜裡有一封信。

讀完信後，紀唯在座位上呆坐許久，教室裡只剩她一人。

直到晚上八點，紀唯才回到家。

在客廳等她回來的沈佑嘉，見她雙頰紅潤，瀏海被汗水浸溼，趕緊到她面前，「任紀唯，妳怎麼滿身大汗？妳去哪裡了？」

「我在學校跑步。」她眼神空洞，面無表情。

「跑步？跑到現在？」他難以置信，擔心地觀察她的氣色，「妳……妳怎麼了？不要緊嗎？」

「我沒事，家裡只有你在嗎？」

「嗯，爸他們出去買東西了。」

她點點頭，眼皮一沉，「我去洗澡，然後直接回房念書。若他們到家，就說我已經回來了。」說完，她越過他回房間。

十五分鐘後，紀唯打開桌燈，將書包裡的東西拿出來，包括今天收到的那封信。

整理一會兒後，她開始準備明天第一科要考的歷史，一邊讀一邊念出聲音，不讓那封信的內容占據腦海。

那封信是楊心瑷寫給她的。

紀唯拿出之前考的歷史考卷複習，一一畫下重點，自言自語，「奇怪了……」

紀唯，對不起。

有些事我一直都想跟妳說。

「正確答案是這個？課本上明明就不是這麼寫的吧？」

告訴游佳菱妳跟沈佑嘉同居的人，確實是我。

因為我不知道除此之外，還有什麼辦法能宣洩我的心情。

「巴黎和會？那是西元幾年的事？好像是一九……該死，我又忘了！」

從小到大，我媽總是拿我跟妳比較。不管我的成績再好，也無法贏過妳在她心中的地位。她看到妳在田徑比賽得到獎盃，比知道我考到第一名還要開心。

很久以前開始，我就常質疑是不是自己做得不夠好？雖然我不像妳那樣活潑開朗，也不像妳人緣好，可是我也一直很努力，為什麼我媽就是不能用平等的態度看待我們呢？

我很生氣，也很難過，我做得再多也永遠比不過妳。雖然我安慰自己早該習慣，但努力了這麼多年，我還是跨不過這個芥蒂。

「我看看……『巴黎和會於一九一九年召開，所有戰勝國當中，以五大強國的首席代表組成一個理事會，主要爲英、美、日、法、義……』」

妳幫我跟游佳菱要錢的時候，看見游佳菱臉上的表情，我竟然覺得她很可憐。我知道我這樣很忘恩負義，可是看到她被逼到絕境的受傷表情，我感覺自己可以理解游佳菱，因爲我和她其實是一樣的人。

她之所以自尊心那麼強，家境不好還出手闊綽，就是爲了不被瞧不起，才用這種方式得到關注跟肯定，掩飾自卑。

當妳說，她不懂得檢討自己，只會責怪別人，愛打腫臉充胖子，我很想告訴妳不是這樣的。我也相信游佳菱絕不是自願變成這個樣子。

可是我心裡很清楚，總是受人喜愛、充滿自信、什麼都有的妳，不可能了解我們這種總是被身邊的人忽略、想要被肯定的心情。

所以，我找上游佳菱，爲收錢的事跟她道歉，並把妳和沈佑嘉成爲家人的事告訴她。那時我才發現，我心裡對妳的不平衡及不滿，已經滿到必須藉由傷害妳，才能獲得宣洩。

「六月在凡爾賽宮簽訂凡爾賽條約，其中有國際聯盟公約……」

我不得不承認，我很嫉妒妳。

嫉妒妳的開朗正直，嫉妒妳得到我媽媽的喜愛，嫉妒妳被大家肯定，就連可以坦率說出自己缺點的妳，我都好嫉妒。

在妳面前，我經常自慚形穢。妳越樂觀豁達，我就越覺得自己醜陋，我越來越討厭自己，並漸漸開始恨妳。

如今站在妳的身邊，我都會覺得受傷，可是內心深處還是很喜歡妳。我不知道該怎麼辦才好，也不敢相信自己會痛苦到失去理智，做出傷害妳的事。

我很後悔，很對不起妳，是我親手毀掉妳對我的信任。

我知道妳不可能會原諒我，所以決定寫出這封信，把這些年來從不敢讓妳知道的醜陋心情，全部對妳說。

背叛了妳，真的對不起。

我沒辦法像妳這樣勇敢堅強。

紀唯慢慢停下書寫的手。

看著在歷史自修上用螢光筆畫下的重點，她的思緒再也無法停留在上面。

「紀唯，這個給妳，要全部看完喔。」

「這是什麼？」

「我幫妳準備的講義，有十張。這次老師考的範圍比較大，不是很好懂，所以我整理了我平時的筆記，再用螢光筆畫重點。只要讀完這些，明天的考試應該就不會有問題了。」

「妳剛才一直拿著螢光筆畫來畫去，就是在幫我畫重點？」

「對呀，這樣妳會看得比較快。妳不是最討厭這種要背一堆東西的科目嗎？」

她握緊筆的手顫抖，視線變得模糊。

總是受人喜愛、充滿自信、什麼都有的妳，不可能了解我們這種總是被身邊的人忽略、想要被肯定的心情。

我感覺自己可以理解游佳菱。

紀唯淚如雨下，啪嗒啪嗒，一顆一顆滴落在書本上。

「這是我最後一次這樣叫妳，因爲我再也無法把妳當兄弟。」

她緊緊搗唇，卻壓抑不住從喉嚨跑出來的嗚咽。

「因爲……我是妳男朋友，站在女友這一邊，本來就是應該的，不是嗎？」

「當然是站在女友這邊。」

「只要男生還喜歡著女生，我相信他不會捨得讓對方受到傷害。」

紀唯在這一刻情緒潰堤，哭得全身發抖，趴在桌上不停抽噎。

女孩壓抑的哭泣聲自房裡傳來，被來找紀唯的沈佑嘉聽見，他整個人動也不動，無能爲力地望著房門，眼裡盡是擔憂跟哀傷。

翌日，紀唯很早就出了門。

沈佑嘉站在洗手間前，看著紀唯背著書包走到玄關。她的模樣和平常一樣，完全看不出昨晚有痛哭過。

他換好制服走出房間，經過紀唯的房門，不自覺停下腳步，猶豫半晌，他開門走了進去。

一眼就看見擺在櫃子上的獎牌、獎盃，都是紀唯在各個田徑競賽中贏得的，從國中到現在。

櫃子上還有一張女孩笑顏燦爛的照片，那是紀唯在國三的校際運動會中，拿到女子冠軍後，上台開心領獎的照片。

他的視線移到書桌，在透明墊板下發現了一張名片。上頭的名字讓他訝異地瞪大雙目，盯著那張名片許久。

日落時分，沈佑嘉背著書包站在人行道上，看著眼前那塊藍白色招牌。

確定名片上的地址就是這裡，他便走近修車廠。

周一銘在門口和大熊聊天，發現有人朝廠內探頭探腦，主動開口：「弟弟，你有什麼事嗎？」

他快步到他們面前，「請問一下，這裡是不是有一位方佑霆先生？」

兩人好奇地瞧著他，這時，龍哥也走過來，「怎麼？又有高中生找阿霆？」他一邊打量對方一邊說。

「上次突然跑出一個小妹，這次該不會來了個弟弟吧？哈哈哈！」兩人放聲大笑。

聞言，沈佑嘉驚喜，「你們怎麼知道我是他弟弟？」

逐漸暗下的天色，讓灑落在小空地的餘暉一點一點消失。

沈佑嘉對眼前的一堆廢棄輪胎東看看西看看，動手摸一摸、敲一敲，像個好奇寶寶。

望著這樣的他，方佑霆莞爾出聲：「佑嘉。」

男孩轉頭看見來人，嘴巴微微張開，一臉難以置信。

「你長大了，差點認不出你。」

將弟弟從頭到腳看了一遍，方佑霆伸手摸摸他那金黃色的蓬鬆頭髮，驚嘆地說：「哇，染了一顆這麼醒目的頭啊？我剛才還以為是看見哪個視覺系藝人了！」

面對整整十年不見的哥哥，沈佑嘉心跳加速，起了一身雞皮疙瘩。他緊張地叫了聲：「佑霆哥。」

方佑霆咧嘴一笑，張開雙臂，「過來，小鬼嘉。」他緊緊擁住弟弟，在他背上輕拍幾下，「好久不見，你過得好不好？」

「小鬼嘉，要不要跟我玩傳壘球？」

他笨鈍地點頭。

聽著曾經無比懷念的綽號，並感受到哥哥厚實的擁抱，沈佑嘉忽然覺得鼻頭有點酸酸的。

「你怎麼知道我在這裡上班？」方佑霆放開他，好奇問：「紀唯告訴你的？」

「哥，你果然見過任紀唯了嗎？」沈佑嘉瞠目。

他頷首，「她前陣子有來過這裡。」

「是嗎？果然是這樣……」沈佑嘉低頭喃喃：「我在她的房間裡發現你的名片，照著上頭的地址找來，沒想到眞的是你。」他看著對方，「任紀唯……找你做什麼？」

方佑霆頓了頓，輕描淡寫回：「她從爸那裡聽說我的事，所以好奇過來看看。」

語落，他話鋒一轉，「紀唯她好嗎？」

「一點也不好，她最近超慘的！」沈佑嘉一屁股坐在輪胎上，爲她打抱不平，「她的男友因爲我們同居，懷疑我跟她有什麼，還逼任紀唯搬出去！然後，我們住一起的事不知爲何傳到同學耳裡，過不久任紀唯又莫名其妙被誣陷作弊，沒人肯相信她，他的男友甚至還任由同學當眾羞辱她。我聽說現在任紀唯在班上被排擠，連之前天天跟她玩在一起的兩個朋友，也都不在她身邊了，該不會連他們都背叛她了吧？」

他越說越憤慨，咬牙切齒，「這些人眞的太過分了，到底爲什麼要傷害任紀唯？尤其是那個關旭彥，女朋友被欺負，居然完全沒反應？我眞沒想到他是這種人，一點男朋友的擔當也沒有，氣死我了！」

聽完沈佑嘉的控訴，方佑霆立刻想起紀唯之前問他的那些話。

沉默片刻，他坐在弟弟身旁，「除了你，家裡的人知道這些事嗎？」

「不知道，任紀唯不准我說。她在家裡表現得很正常，看不出在學校被欺負。」他嘆一口氣，「不過任紀唯前陣子跟她媽媽吵架，至今都還沒和好。我關心她，她總是說沒事。」他小聲嘀咕：「怎麼可能沒事？都哭得那麼傷心了……」

方佑霆看著一臉鬱悶的弟弟，微笑著說：「感覺你很喜歡紀唯。」

沈佑嘉抱著膝蓋，坦率點頭，「我很高興她可以跟我們成爲一家人。雖然我老是惹她生氣，但我眞的很希望能幫上她一點忙，只是我不知道該怎麼做，超遜的！」

方佑霆思考了一下，「你們學校最近有考試嗎？」

「有啊，我們剛好這週段考。」

「那就對了，紀唯碰上這麼多難過的事，一定很難專心應付考試。你可以教她念書，幫助她度過危機。」方佑霆鼓勵道：「只要你是眞心想幫助紀唯，我相信她一定會感受得到。」

「可是，這恐怕有點難度，她平時根本不太理我……」猶豫過後，沈佑嘉下定決心，「好吧，我試試看！」

「加油。」方佑霆拍拍他的肩膀。見弟弟突然笑了，不禁問：「怎麼了？」

「好奇怪，我跟你分開這麼多年，好不容易重逢，結果都在聊任紀唯的事情。」他哈哈笑。

方佑霆一聽，也跟著笑了起來。

「哥，你一直都在這裡上班？」

「是啊。」

「媽再婚後，你就一個人住外面？」

「嗯。」

「那……」

見沈佑嘉支支吾吾，有些躊躇，方佑霆又笑，「什麼事？說啊。」

「哥……當年你跟媽離開了以後，爲什麼就不再跟我聯絡，也不再回來找我？」沈佑嘉認眞地問：「我還記得，你有一段時間音訊全無，爸媽都找不到……」

方佑霆瞬時啞然。

「是因爲……你朋友的那件事嗎？」他的語氣多了一分愼重，「我印象中有聽爸說過，你可能是因爲那件事，才漸漸不跟我們聯絡的。」

方佑霆還未回應，大熊就走過來，「阿霆，來一下，有客人急著找你！」

「好。」他起身，「抱歉，佑嘉，我過去一下。」

「沒關係，你去忙，我也要回家了。」沈佑嘉揚起傻氣的笑容，「今天見到哥，我超開心的！我還可以跟你聯絡嗎？」

「當然可以。」

沈佑嘉跟他交換聯絡方式，雀躍地對他揮揮手，「那我先走囉！啊，千萬不要告訴任紀唯我來這裡找你，若她發現我偷偷溜進她房間，我就死定了，哥要幫我保密喔，拜拜！」

「拜拜。」

方佑霆目送弟弟離開，腦中還迴盪著那句話——

「是因爲……你朋友的那件事嗎？」

他眼神黯淡，不見原先的笑意，轉身回到店內。

★

在房間讀書的紀唯，聽見有人敲門，張口回應，回頭發現是沈佑嘉。

「有事嗎？」

「那個……我想問，妳明天是考哪幾科？」

「國文、地理，還有英文。」

「那妳現在在讀哪一科？」見對方眉頭擰起，他趕緊說：「我只是想看妳準備得怎麼樣？若有不懂的地方，我可以教妳！」

紀唯沉默，淡然道：「不用了，謝謝。」

沈佑嘉沒有放棄，慢慢走到她身邊，瞄了眼她桌上的參考書，笑著說：「你們的地理是潘老師教的吧？他最喜歡考一些無聊的專有名詞，只要把他平常考的東西，還有課本角落的註解背起來，就有七十分了。你們國文是童老師教的吧？她很愛考從來沒教過的文言文，妳把《古文觀止》的前十篇念好，再把作者生平跟作品背熟，就可以搞定。然後英文……」

紀唯抬頭，困惑地盯著他。

沈佑嘉摸摸頭解釋，「因為我也上過那些老師的課啦，他們偏愛的出題方式，我大致都曉得。只要針對這幾個重點複習，妳這次考試應該就沒什麼問題了。」

紀唯望著那張憨憨笑臉，半晌才開口：「你上次段考排名第幾？」

「我嗎？班上的話……我記得是第五，至於全年級，好像是十六。」

紀唯傻掉，眼中充滿不敢置信。

他拍拍胸脯，「如果還有想問的，儘管問，我一定會回答妳，別客氣！」

紀唯一聽，再度注視他，片刻之後，她指著他的頭。

「你的頭髮……」她語帶疑惑，「我一直很想問，爲什麼你一定要弄成那樣？是純粹想引人注意，還是你眞的覺得這樣很好看？」

「咦？怎麼了？妳不喜歡嗎？我覺得這樣弄挺酷的啊！」他摸摸頭髮。

「是什麼樣的審美觀，讓你覺得這樣很好看？也該確認一下這髮型適不適合自己吧？自然一點不是很好嗎？把自己弄得跟金毛獅王一樣，哪裡酷……」

說到一半，紀唯冷不防打住，轉過身，「沒事，當我沒說，不必理會我的話，你自己喜歡就可以了。」

「哦……」望著她專注的背影，沈佑嘉心底湧起一股失落感，「那……我就出去了，抱歉吵到妳。」

正要走出房間，紀唯卻叫住他，嚇得他顫了一下，「怎麼了？」

「英文。」她回眸，涼涼說：「你還沒告訴我怎麼讀，就想落跑啊？」

沈佑嘉還沒意會過來，紀唯就起身坐在床頭，空出椅子，示意他過來坐。

他一陣激動，喜出望外地大叫：「我有幫上妳的忙嗎？太好了，我有——」

「你很吵耶，快點坐下啦！」

這是他們說過最多話的一夜。

因爲沈佑嘉的幫忙，這次段考可以安全過關，是她始料未及的。

段考結束的那天，紀唯再次來到修車廠，但她沒有找上方佑霆，也沒通知他，而是坐在空地享受一個人的清靜。

周一銘注意到她的到來，知會了方佑霆。等他忙完過去，紀唯還坐在那裡，戴著耳機用雙腳打節奏，沉浸在音樂裡。

見狀，他嘴角不自覺上揚。

紀唯發現來人，立刻露出笑臉，「大哥！」

看她的精神有恢復了些，方佑霆便稍微放心了。他坐到她旁邊，「段考考完了？」

「考完了，咦？你怎麼知道我這週段考？」

「哦……我記得這時間差不多是段考週。我也當過學生呀！」他找了個理由搪塞。

紀唯靜靜凝視著他的側臉，緩緩開口：「大哥，我問你喔。」

「嗯？」

「在你還是學生的時候，有沒有碰到什麼令你難過的事？比如說……被好朋友背叛，或是遭到同學欺負之類的？」

方佑霆沒回答，反問：「妳被好朋友背叛了嗎？」

「我本來以爲是這樣……可是事出必有因，在我了解對方這麼做的理由後，我已經不知道該生氣還是該難過？這麼多年的好朋友，居然恨著自己，我怎樣也沒想過這種事會發生在自己身上。」

她托著腮，悶悶地說：「一開始，我告訴自己不用這麼傷心，等到三年、五年，甚至十年後再回頭看，就只是一件無聊又幼稚，回憶起來還會想笑的小事，根本沒什麼大不了，可我現在還是難過得要死。怎麼辦？又沒有時光機讓我馬上到未來！」

方佑霆一聽，噗哧一聲，笑到肩膀都在抖動。

紀唯哀怨地瞪他，「有那麼好笑嗎？」

「對不起，我不是在嘲笑妳。妳的想法讓我很意外，不像是妳這年紀的小孩會說的話。」他止住笑意，「不過，妳說的也沒錯，等妳長大，想法變成熟了，對很多事物的看法會跟著不同。只是妳在這個年紀碰到這些事，打擊會比較大，甚至可能會害妳對交朋友有陰影，不敢再輕易對他人表露真心。」

他看著她，「妳會不敢再相信別人嗎？」

「我也不知道……」她與他對望，「大哥，你覺得呢？」

「嗯……我想妳現在多少會覺得有些恐懼，可能還會有『我再也不相信別人』，或者『我不需要任何人』這類消極想法出現，但時間一久，妳會漸漸明白這很難做到。人無法獨自生存，只要活著，就一定得與他人建立關係。」

紀唯靜靜地聽，不發一語。

「雖然這打擊令妳難受，但未必只有壞處。我希望妳能趁這次機會好好審視自己，思考妳想要什麼樣的朋友。我認爲受了傷的好處，就是可以讓妳更清楚眞正想要的東西，找到更適合妳的人。」

「我想要什麼樣的朋友……」

「對，妳可以說說看，越具體越好，這樣心裡或許就會踏實一點。至於是不是眞能遇到那樣的人倒是其次，重點是，妳已經聽見心裡的聲音，確定什麼是自己眞正想要的。」

對方的鼓勵，讓紀唯陷入沉思。

「我想要……」她慢慢啟口：「一個堅強有自信，不會因爲內心的自卑，就輕易陷入自我厭棄的朋友。」

她喉嚨乾涸，「我想要一個對我有話直說，就算大吵一架，也不會影響彼此情誼的朋友；我想要一個可以理解我想法，願意相信我，站在我這一邊的朋友。」

語畢，紀唯不好意思地笑了，「會不會太貪心呀？」

「當然不會。」方佑霆眼神溫柔，雙手十指交扣，闔眼說：「好，大哥現在幫妳祈禱，希望這樣的朋友能早日出現在我們紀唯的身邊。」

他的那句「我們」，深深觸動紀唯的心，內心充滿暖意。

兩人四目相交，笑了起來。

紀唯傳了一則訊息約對方見面。

打掃時間，紀唯提著水桶到洗手台裝水，聽見腳步聲逼近。

紀唯回頭看一眼，將視線轉回水桶，「我讀完妳給我的信了。」

楊心璦低著頭，沒有回話。

「有些話，我想親口跟妳說清楚。」她盯著從水龍頭流出的水，語氣平淡。

「也許在妳眼裡，會覺得我是因爲瞧不起游佳菱，才那樣逼她。但如果我因爲知道她家境不好，深怕說錯什麼話傷害到她，拐彎抹角、小心翼翼，甚至對她有著特別待遇，我不會覺得自己很善良，只會覺得這樣很惡劣、很僞善。」

拴緊水龍頭，紀唯一口氣說下去：「若游佳菱仗著這一點，覺得全世界的人都對不起她，認爲每個人都該對她好，不管她做什麼都能被原諒，那眞正在羞辱她的人就是她自己，是她自己希望別人用同情憐憫的眼光看待她。我認爲眞正的羞辱是，妳並非站在『平等』的角度看待對方，卻還覺得自己體貼有愛心。很抱歉，我不是這種人。」

她頓了頓，「不過，或許就像妳說的，我無法完全理解妳跟游佳菱的痛苦，所以沒資格說什麼。但是不管怎樣，我就是沒辦法接受一個人可以因爲『自卑』跟『嫉妒』，就理直氣壯地傷害別人。」

撂下重話，紀唯轉頭看著她，「如果因爲我的存在跟某些行爲，讓妳一直處在痛苦之中，請妳原諒我。說我可惡也可以，我想了很久，還是不認爲自己有對不起妳們的地方，因爲我從沒有刻意在妳們面前炫耀什麼。我也會自卑跟嫉妒，覺得自己是廢物，但若把這份情緒發洩到別人身上，這就不能原諒了。雖然被妳背叛，可我還是很喜歡妳，希望妳相信我，妳沒有妳想的那麼糟，妳眞的很好，好到我常常羨慕妳，想一直跟妳在一起。否則，我怎麼會跟妳當這麼多年的朋友？」

楊心璦哭了起來，一個字都說不出。

「雖然對妳而言，現在恐怕不太可能，但我希望我們以後還會是朋友。」紀唯提起裝滿水的水桶，認眞地道：「最後，我想建議妳，別跟游佳菱走得太近。我到現在還是不覺得她適合當妳的朋友，也不覺得她會把妳當朋友。若妳不願意聽，就當我沒說過。」

看著楊心璦站在原地啜泣，哭得滿臉通紅，紀唯走上前，手放在她肩上，微笑道：「小璦，謝謝妳願意對我說眞心話。」

語畢，紀唯忍住淚意，提著水桶從她身邊走過。

那天放學前，紀唯去了一趟導師室，向班導提出轉班的請求。

「那妳班導答應讓妳轉班了嗎？」上學途中，沈佑嘉走在紀唯身旁問。

原本他不敢跟紀唯走在一起，怕對方會生氣，但現在紀唯已經不會阻止他，他開心不已，三不五時就黏到她身邊東問問、西問問。

「哪可能這麼容易答應？雖然班導知道我在班上的處境，但他說，轉班還是得跟家長談過。」

「那妳就告訴筱琴阿姨嘛，她跟我爸一定會幫妳的啊！」

「我就是不想讓我媽知道我在學校發生這些事嘛！」她煩躁地瞪他，「我已經讓她傷透心了，現在還要再讓她因爲女兒被欺負的事難過得大哭嗎？」

「可是……若妳不讓阿姨知道，不就得繼續看那些人的臉色過日子？萬一又有人對妳惡作劇，故意設圈套陷害妳，那該怎麼辦？」

紀唯無奈嘆息，「沒差，反正情況也不會比現在更糟了，隨那些人去吧。總之，我會再想辦法，你絕對不能跟我媽多嘴。」

語落，紀唯走進前方的一家早餐店，和老闆娘開心聊天。

沈佑嘉煩惱地抓抓頭，心中的憂慮不減反增。

「哥，任紀唯不肯讓我告訴她媽媽。這樣憋著很痛苦耶，我到底該怎麼辦才好？」

修車廠裡，方佑霆看著弟弟傳來的訊息，思索一會兒才回：「你就仔細想想，怎樣做對她才是最好的。想清楚後就去做吧，若紀唯真的生氣，我會幫你安撫她，讓她不至於太責怪你。」

訊息送出的同時，手機出現新訊息，是紀唯傳來的。

「大哥，我今天可以去找你玩嗎？」

方佑霆正要回覆，周一銘便走來用力拐住他的脖子，語帶調侃地道：「好忙的哥哥呀，一早弟弟妹妹就爭相找你，眞受歡迎！」

「是啊，羨慕嗎？」方佑霆嘴角上揚，快速打字。

大熊聽見了，邊喝飲料邊走來，「一直以來都是光棍的阿霆，身邊沒看到女朋友的蹤跡，反而跑出一對弟妹，搞什麼？」

「這就是阿霆的問題了，我先前介紹幾個正妹給他，他全看不上眼，眞是不給我面子。」龍哥搖頭。

方佑霆失笑，「我還沒膽大包天到敢去招惹龍哥的寶貝堂妹們啦。」

「眞是可惡，我怎麼就沒這種好運？阿霆，你也別浪費你這張臉，發揮一下它的用處，幫我們多吸引一些正妹客人，不然根本就是暴殄天物！」周一銘抱怨。

「算了吧，見過阿霆，有哪個妹會理你？」大熊哀怨地瞪了方佑霆一眼，抬起肥肥的腿作勢朝他踢去，「臭小子，長得帥就了不起？想當初，我變胖以前也是個大帥哥，哼哼哼！」

「不是大亨堡嗎？」周一銘問。

「靠，你找死！」

方佑霆轉身繞去另一邊，避開他們的爭吵。他傳出同意紀唯來找他的訊息後，便戴上工作手套，從架上拿起一把十號扳手跟T型扳手，走到一輛汽車前面，準備幫車子更換電瓶。

這時，鬍子男大師走到他身邊，冷不防丟出一句，「怎麼不把你不交女友的原因告訴大熊他們？」

方佑霆納悶地笑了一下，「沒有啊，哪有什麼原因……」

「不是因爲還忘不了初戀女友嗎？」

他的笑容瞬間僵在嘴邊，抬頭望向對方。

「半年前曾來這裡找你，說是你高中同學的那位。」大師偏頭，「就是她吧？妳的初戀情人。」

方佑霆傻了一會，慎重否認，「不是，你搞錯了。」

「搞錯了？」

「我們一直以來都不是那種關係，你誤會了。」

聞言，大師看他的眼神意味深長，似是懂了什麼，點點頭後就走掉了。

方佑霆站在原地不動，直到聽見龍哥招呼客人的聲音才回神，臉上浮出一抹複雜的笑。

紀唯在傍晚六點來到修車廠。

正值晚餐時段，看見紀唯帶著六杯珍奶出現，眾人開心地歡呼。

搶完珍奶後，周一銘和大熊將紀唯拉到他們中間坐著，爭相跟她說話。見狀，龍哥出聲喝止：「你們兩個是想把小妹擠死嗎？大熊，你離她遠一點，講個話飯一直噴，髒死了！」

「紀唯，快過來這裡。」方佑霆挪出空位，紀唯趕緊捧著珍奶坐到他身邊，露出鬆口氣的表情。

「小妹，晚餐只喝珍奶就夠了？」大師問。

「嗯，我還不餓。」紀唯望望四周，第一次認眞觀察修車廠內部，「請問，你們的營業時間是幾點到幾點呀？」

「上午八點到晚上八點，週日休息。」龍哥回答後，饒富興味地問：「紀唯小妹常來這裡找人，想必非常喜歡『佑霆大哥』吧？」

「對啊！」紀唯坦率的回答，讓他們有些訝異。

她接著說：「我之前是獨生女，一直想要有手足，若是姊姊或妹妹的話最好。不過，多了哥哥我也覺得不錯！」

「意思是，妳對妳大哥很滿意囉？」龍哥又笑。

大熊也接著問：「妳都不覺得妳大哥有時很跩、很討人厭嗎？」

「討人厭？」她望著身旁的方佑霆，認真搖頭，「當然不會，正好相反，我非常高興他是我大哥呢！」

紀唯的話觸動了方佑霆的內心。看見龍哥跟大師投來的曖昧微笑，以及周一銘跟大熊的憤恨眼神，他突然一陣尷尬，不知道該說什麼。

吃完飯後，紀唯沒繼續待在修車廠裡打擾他們工作，而是跑到小空地坐著等待。

過了一段時間，方佑霆也追隨著紀唯來到小空地。

女孩托腮沉思，明顯少了方才的朝氣，方佑霆猜，她應該是在煩惱轉班的事情。

他走過去坐在她身邊，關心地問：「有什麼煩惱嗎？」

「沒有啊。」她一抬頭對上方佑霆那對似笑非笑的眼睛，心中一慌，趕緊將臉埋入手心，「大哥，你不要這樣看我啦！」

一被他注視，彷彿什麼祕密都被看光了，她並不想一直跟他吐苦水啊……

「好，我不看。」他笑了兩聲，「妳媽媽知道妳在學校發生的事嗎？」

「我不想讓她擔心，所以沒跟她說。我想搬出家裡的事，已經讓她很難過了，再被她知道這些，我就眞的比不孝還可惡了。」她沉重地說。

「可是站在妳母親的立場，知道妳默默隱忍、不跟她說，不是更心疼嗎？再怎麼生妳的氣，她都還是愛妳的，而且佑嘉也會很擔心吧？」

腦袋浮現沈佑嘉充滿擔憂的面孔，她心情更加沉重，不自覺伸手摸摸戴在頸部的項鍊。

她怎麼都在讓身邊的人爲她操心呢？

方佑霆注意到她的動作，好奇問：「那是寶石嗎？」

發現他在問她的項鍊，紀唯答道：「對，這是蛋白石，不過是假的，上頭有些裂痕，色澤也不好看了。」

語落，她訥訥告訴他，「今年生日，叔叔有送我一條很好的項鍊。那時他很眞誠地對我說，謝謝我成爲他的女兒，希望我們的感情能好到如同親生父女。」

方佑霆眸裡的波動靜止了。

然而，紀唯沒注意到他的神情變化，繼續說：「我知道叔叔很珍惜我，也知道他其實希望我戴上那條項鍊，可是我做不到。明明不必這樣鑽牛角尖，但我就是心不夠寬，也還不夠成熟，所以到現在都跨不了那一坎。無法坦然接收『家人的心意』時，到底該怎麼做才好？大哥有過這樣的經驗嗎？」

兩人視線一對上，紀唯就有些愣住，因爲方佑霆露出了似曾相識的淒然微笑。

「有啊。」

「眞的？」

「嗯，就像妳告訴我，我爸希望我回家，而我說『沒辦法』的時候。」口袋裡傳來訊息聲，打斷了兩人的談話。

方佑霆拿出手機一瞧，發現半小時前，沈佑嘉居然有傳訊息給他。

「哥，我要被任紀唯殺掉了，我決定照著你的建議去做了。」

方佑霆還沒理解這句話的意思，紀唯的手機就響了起來。

「沈佑嘉，幹麼？」紀唯懶洋洋地接起，不久，她瞪大眼睛，震驚地站起，「什麼意思？你做了什麼？」

方佑霆看著女孩，發現她的臉色越來越蒼白，也跟著站起身。

「沈佑嘉你……」紀唯氣得發抖，口氣激動，「我不是叫你千萬不能告訴我媽嗎？你到底爲什麼要這樣？」

「對不起啦，我想了很久，還是認爲應該告訴他們，我不想再看到妳被欺負了！」沈佑嘉在彼端對她賠不是，接著道：「我爸要跟妳講話，我把手機給他。」

紀唯一驚，不自覺抓住方佑霆的手，他頓時動也不敢動。

「紀唯？」沈父的聲音，讓紀唯的心臟重重一跳，不敢回話。

「妳在學校發生的事，我和妳媽媽都已經聽佑嘉說了。我要跟妳說聲對不起。」沒等紀唯回應，他繼續道：「其實，一切都是叔叔給妳的壓力太大了，對不對？」

他緩緩開口：「妳媽媽得知妳在學校發生的事之後，聯絡了妳的好朋友，但那位叫心璦的孩子什麼都沒說，只是一直哭。」

紀唯喉嚨乾涸，眼眶紅了。

「我們透過楊心璦聯絡到蔡以鈞，他告訴妳媽媽妳跟楊心璦發生的事，還有妳男朋友的事，以及妳想要搬出去的原因。」

他深深一嘆，「後來，妳媽媽去妳房間，在妳的抽屜裡發現我送的項鍊。跟妳媽媽談過後，我才知道妳爲什麼不肯戴上那條項鍊。妳現在戴著的那條蛋白石項鍊，是妳父親以前親手做給妳的吧？」

他接著說：「叔叔完全不知道那條項鍊對妳的意義，就擅自送另一條給妳，希望妳能戴著它。還說希望我們能成爲眞正的父女，又要妳對母親保密項鍊的事。我這麼做，一定會讓妳覺得，我想要取代妳父親在妳心裡的地位，妳會不高興很正常。妳不願換項鍊，也不敢告訴我理由，就怕辜負我的心意，結果因此對我產生愧疚感，以至於無法再像以前那樣面對我……叔叔說得對嗎？」

紀唯緊咬著唇，鼻腔裡一片酸楚，「我……從來沒有生過叔叔的氣，一次都沒有，我是說眞的。」

「我知道，妳一直都是體貼的孩子，寧可跟媽媽吵架，讓她誤會妳，也不肯說出眞正的原因，就怕說了會影響到我和妳媽媽的感情，因爲妳太了解妳媽媽了。謝謝妳這麼爲叔叔著想，但看到妳默默承受這麼多事，叔叔很心痛，覺得無顏面對妳。」

紀唯抿唇，沒有發出任何聲音。

「我和妳媽媽會幫妳處理轉班的事，所以妳什麼都不用擔心。妳只要記得，我們永遠是妳的後盾，會在妳身邊支持妳，今後多依靠我們一點，好不好？」

紀唯淚眼模糊，勉強擠出一聲回應：「嗯。」

「好，換妳媽媽接電話。」

紀唯還沒來得及反應，彼端就傳來一道溫柔呼喚：「寶貝。」

那聲「寶貝」，讓紀唯的淚水一秒奪眶而出。她趕緊轉身，不讓方佑霆看見她的失態。

方佑霆也決定給她空間，轉身回修車廠，卻在聽見女孩的啜泣聲時，不自覺停下腳步。

這些日子累積的傷心委屈，在聽見母親聲音的這一刻徹底潰堤。紀唯的淚水止不住地奔騰而出，她不停地跟母親道歉。

「媽，對不起，我眞的不是故意害妳難過的。我不知道自己爲什麼會變這樣，也不知道怎麼整理這些心情。我知道自己很任性、很不孝，可我眞的沒有討厭叔叔，我是眞心希望你們可以在一起，永遠幸福下去，我沒有說謊。」

紀唯哭得上氣不接下氣，話說得斷斷續續：「我明明不想再讓妳生氣，也不想再讓妳擔心，可是……我還是搞砸了一切，害妳跟叔叔丟臉。不但惹出更多問題，現在還要你們替我善後……眞的很抱歉，我從來沒想要這樣的……」

她嚎啕大哭，「媽，對不起啦！」

方佑霆看著哭成淚人兒的紀唯，微微一笑，轉身離開。

快八點時，方佑霆送紀唯去坐公車。

「跟媽媽和好，心情好多了嗎？」

「嗯。」她眨眨紅腫的眼睛，一臉難爲情，「好丟臉喔，被大哥看到我哭成那樣。你嚇壞了吧？」

「沒有，我不覺得妳丟臉。」

紀唯吸吸鼻子，深吁一口氣，歉然說：「對不起，這陣子我時常來吵你，讓你聽我說了那麼多廢話，你應該覺得我很煩人吧？」

「沒這回事。」他看著她的眼睛回答：「我不覺得妳煩，也從不認爲妳說的那些是『廢話』。」

感動湧上心頭，紀唯忍不住張開雙臂用力抱住他，方佑霆臉上閃過清晰的錯愕。

「大哥，謝謝你！」她對他笑得無比開心，「你知道嗎？我真的很慶幸我有來這裡找你。能夠遇見大哥，是我最幸運的事！」

方佑霆呆愣不動。

送女孩搭上公車，與坐在窗邊的她揮手道別，直到再也看不見車尾燈，他才漸漸回神，走回修車廠。

辛苦工作了一天，方佑霆回到家後，將隨身物品放在桌上，癱坐在地板上，闔眼深吸一口氣。

腦海裡突地浮現紀唯哭著和母親通電話的那一幕，他從口袋裡拿出手機，撥出電話。

接通後，他喚了一聲：「媽。」

「佑霆，怎麼了嗎？」

「喔，沒什麼，只是這陣子沒打給妳，想問問媽——」

「對了，佑霆，媽有件事要跟你說。這幾個月你還是有匯錢過來，我之前就說過不必再匯了，媽手邊的錢夠用啦。你一個人住外面，這些錢就自己留著用，不必再拿錢給媽了。」

說完，她接著道：「你小弟補習完回來了，媽先去顧他。你要好好照顧自己。」

方母直接結束通話。

方佑霆拿著手機不動，輕吐出未問完的話：「妳過得好嗎？」落寞地笑了一下，他放下手機，起身去洗澡。

因爲沈父與任母的幫忙，紀唯順利從三班轉到十二班。兩間教室距離遙遠，碰上前同學的機會不高。

由於流言，新同學看紀唯的眼神還是有些質疑，但終究比原來的環境好了許多。

只不過……

「嗨，任紀唯！」

前方視線一暗，有個人在紀唯前座坐下，臉面向她。

紀唯從書本中抬頭，看著眼前留著俏麗短髮，嫣然一笑的女孩，完全提不起勁跟她打招呼，默默把目光移回書上。

「任紀唯，妳幹麼這樣？」何詩詩眨眨眼，「好歹我們是同班同學了，用不著不理人吧？」

沒錯，紀唯轉到的班級，就是何詩詩的班。偏偏又這麼剛好，老師將她的座位安排在何詩詩後面。

「來到我們班後，有沒有比較輕鬆？跟上一個班級差很多吧？」

紀唯嘆一口氣，面無表情地說：「如果連妳也想酸我，請便，但別想要我回妳就是了。」

「這哪叫酸？我明明是在關心妳，居然把我想得這麼壞！」她抱怨，湊近紀唯，「不過，妳以前的同學真的沒有半個人理妳了？那個楊心璦呢？還有一個叫蔡什麼的……我記得你們三人之前常常在一起，不是嗎？」

紀唯面色一沉，想到那兩個人，她的心還是會隱隱作痛。

從她的神情捕捉到情緒，何詩詩沒再追問，聳聳肩，「妳不想說，我也不勉強妳。」

紀唯看著她轉過身的背影，久久無語。

放學後，幾個田徑隊的女生找何詩詩去運動場。何詩詩點了點頭，轉過頭對紀唯說：「一起去吧。」

紀唯抬眸瞄了瞄一臉訝異的同學們，搖頭，「不了，我等一下自己過去。」

何詩詩對那些女生說：「抱歉，妳們先走吧！」

她們離開後，紀唯還是納悶地問：「妳幹麼不跟著去？」

「我才想問妳，妳在顧慮什麼？好不容易擺脫前一個班級，到了這裡還要繼續耍孤僻嗎？我認識的任紀唯有這麼遜？一離開跑場，就變得這麼脆弱嗎？」

後來，紀唯還是和何詩詩一起離開教室。

換上運動背心、短褲和鞋子，再套上運動外套，兩人一到操場，遠遠就看見關旭彥和其他男社員站在一塊。

一對上紀唯的視線，關旭彥怔住，很快別過頭去。

看見這一幕，何詩詩轉頭問紀唯：「妳跟關旭彥眞的分手了？」

她沒回答，脫下外套放到一邊，開始暖身。

「好吧，換個話題。」何詩詩聳肩，「我上次聽教練說，下個月的校慶運動會邀請賽，參加的學校比去年多兩所，可能會是一場苦戰。」

「是喔？」

「對啊，妳應該不會因爲跟關旭彥分手，就喪失鬥志、沒心情比賽，乾脆隨便亂跑吧？」

「怎麼可能？」她擰眉。

「那就好，要是妳爲了這種理由，表現不如以往，我可是會瞧不起妳的。千萬不許丟我們學校的臉喔！」

何詩詩撂下話離開後，紀唯咕噥一句：「妳不是本來就瞧不起我嗎？」

繼續做伸展運動，她的目光又移至關旭彥的方向，短暫停留了幾秒，直到聽見集合的哨聲，她才跟著一群人走向教練，沒再望對方一眼。

一打開家門，紀唯就聽見沈佑嘉哈哈大笑的聲音。

她正要問大人去了哪裡，卻在看見沙發後面的那顆頭時，嚇得停下腳步，警戒地喊：「你是誰？」

那人轉過頭來，對著她笑，「任紀唯，妳回來啦？」

「沈佑嘉？」紀唯瞠目，驚訝盯著他的頭，「你的頭髮怎麼回事？你怎麼會變這樣？」

「我染回來啦！」他摸摸頭髮，「妳說原來的髮型不適合我，我就燙直，還染成褐色，不錯吧？」

那頭深褐色的頭髮，和之前截然不同，徹底煥然一新。

原本如獅子般的爆炸頭，燙成平順的直髮，垂落在眉宇及頸部，配上他又大又明亮的眼睛，竟讓他的五官增添一份秀氣，乍看之下還有點韓國藝人的味道。

「你真的跑去換髮型啊？」紀唯盯著他的頭髮，有些傻眼。

「嗯，我還研究了很多藝人的造型。」他從手機裡點出一張圖片，拿到紀唯面前，「怎麼樣？我是不是跟他一樣帥？」

還真的是拿韓國男藝人當參考，紀唯無言以對，轉身走進房間。

沈佑嘉跟了上去，站到她旁邊，「欸，好不好看啦？我就是在等妳回來，要讓妳第一個看到耶！」

「喔，很好看。」她敷衍。

「這樣妳就不會再叫我金毛獅王了吧？」

「不會了啦。」

「那妳以後要叫我什麼？」

「什麼叫什麼？」

「適合我現在這個樣子的綽號啊。」

「不知道，想不到。」

「吼，怎麼可能想不到？明明就很好想吧？」

「那你講一個來聽聽，你想的到我就叫。」

「眞的？太好了，我現在就想！」他認眞思考，一本正經地說：「花美男？」

「你眞的很不要臉。」

★

轉眼間，所有的紛紛擾擾，都在紀唯轉班後暫時告一段落。

紀唯偶爾還是會到修車廠晃一晃，因此跟所有員工變熟了，還會跟在身邊觀察他們工作。

某個週六下午，紀唯站在周一銘身旁，看他幫一輛汽車補輪胎。她好奇地問：「這個要怎麼補？」

「小妹，我跟妳說，補輪胎的方法有兩種，一個從外面補，另一個從裡面補，看妳想要用哪一種。」

「這兩者有什麼差別嗎？」

「有啊，從裡頭補的話，價錢會比較貴，時間也會花比較久。」周一銘說完，一旁的大熊也開口：「小妹，熊哥跟妳講啦，很多人都說：『十家修車廠裡，有九家會坑人』，但我們這裡絕對不會，我們做的是良心事業，不會隨便敲客人竹槓！」

「真的有修車廠會做這種事？」

「當然，有些比較黑心的，會在修車的時候，故意偷走客人車上的零件，等出問題了，客人會再回去修。」

「哇，這太惡劣了吧？」紀唯詫異。

見他們三人熱烈地聊起來，大師對剛修完車子的方佑霆說：「你家小妹跟大熊他們挺投緣。」

「是啊。」方佑霆唇角翹起，拿起桌上袋子裡的一杯飲料，「大師，這是紀唯給你的，咖啡奶凍，少糖去冰。」

「那孩子今天也幫我們帶飲料，還把每個人愛喝的口味記得清清楚楚，貼心吧？」龍哥笑笑。

「喔？」大師接過飲料，又朝紀唯一望。

今天的紀唯穿了一件青草綠碎花圖案的七分袖雪紡上衣，外加一件咖啡色針織短背心，底下則是貼身合宜的深藍色牛仔長褲，以及一雙白色帆布鞋。她還將頭髮編成一條斜辮子，露出左邊的白皙頸子，呈現出不同以往的甜美感。

瞥見方佑霆和大師站在桌前，紀唯很快跑過去，「大哥，你修好車了？」

「對啊。」

紀唯看著他手上的那杯珍珠綠茶，歉然道：「我忘記跟你說，買到大哥你那杯時，波霸剛好賣完了，所以只有小珍珠，不好意思喔。」

「沒關係啊，小珍珠也可以。妳大老遠買飲料過來，我們已經很感激了。下次人來就好，別再破費，不然我很不好意思。」方佑霆笑。

「不會啦，你們這麼辛苦工作，也不介意我來打擾。送些點心來，我的罪惡感才不會這麼重！」她又從口袋掏出一樣東西，「大哥，這個也給你，讓你補充熱量！」

方佑霆接過她遞來的一盒巧克力球，見狀，龍哥湊過來問：「紀唯小妹，龍哥也有巧克力嗎？」

「我只有買這一盒耶，對不起，龍哥。」她搔搔臉。

「只有阿霆才有？小妹，妳偏心得太明顯囉。」龍哥嘖了兩聲。

紀唯哈哈笑，「對呀，我就是會想偏心我大哥！」

方佑霆抬起眸時，正好對上紀唯那雙含笑的眼睛。

大熊跟周一銘又把她叫過去，留下方佑霆跟大師、龍哥面面相覷。

兩人的視線同時落在方佑霆跟他手中的巧克力上，盯得方佑霆有些尷尬，低咳一聲，「龍哥，你想吃的話，我可以給你。」

「不用了，我才不想被紀唯小妹討厭。」龍哥笑著瞥他一眼，轉身走到那三人身邊。

看到紀唯與同事們聊得熱絡，不時開心大笑，方佑霆的嘴角不禁跟著上揚，眼神一片柔和。

大師邊喝飲料邊觀察他，「你這種眼神很危險喔。」

「什麼？」

「當心，別不小心對人家動了情。」

「什麼情？」

「愛情。」

「對誰？」

「你家小妹。」

方佑霆失笑，「啊？」

「這孩子才十七歲吧？」大師望向紀唯，「女孩子成長的速度很快的。你看著她，難道不會好奇，以後她會變成什麼樣的女人嗎？」

方佑霆抿唇，不發一語。

「相處久了就會發現，紀唯有一種特質，會讓人想把目光停留在她身上，加上她很容易跟別人打成一片，不知不覺就會被她吸引。再過三年她就二十歲了，不是小孩子，到時的你還能繼續用現在的眼光看她嗎？」

方佑霆傻在原地良久，最後擰起眉頭，困惑地問：「大師，你昨晚睡前是不是又看了哪部愛情文藝片？」

「沒錯，我轉到一部韓國電影，叫《幼齒老婆》。文瑾瑩實在是太可愛了，跟我的初戀情人簡直長得一模一樣！」大師重重拍了下大腿，激動地喟嘆。

到了下午五點半，紀唯沒有打擾他們工作，而是坐在一旁的椅子上看手機。

此時，方佑霆和一名中年男人站在一輛車前。

那男人盯著車內引擎，納悶地說：「這兩天，我發現我車子的前方引擎會滴油，爲什麼會這樣？」

「我幫你看一下。」

兩人的對話引起紀唯的注意，她不自覺抬頭朝他們看去。

方佑霆專注地仔細檢查，一分鐘後，從某處拿出一個小小的藍色物品，莞爾道：「找到了，是從油壓感應器的插頭裡面漏出來的，你看。」他將滲出油的插頭內側轉給客人瞧。

不知道爲什麼，紀唯挺喜歡看方佑霆認眞工作的模樣，看到他跟客人談笑，嘴角總會不自覺勾起，時間很快就過去了。

送走那位客人後，方佑霆走到她身邊，「覺得無聊嗎？」

「不會呀，看你們修車很有趣。」紀唯眞心地說。

這時，大師轉頭對他們說：「阿霆，你下班吧。」

「什麼？」

「我說你可以提早下班，帶小妹去吃晚餐，兄妹倆去逛逛街。」

聞言，方佑霆跟紀唯訝異地互望一眼。他有些遲疑，「可是……」

「叫你去就去，不會扣你薪水。這是爲了答謝小妹時常陪我們聊天，還送飲料跟零食過來。你可不許怠慢人家，知道嗎？」

「對啊，阿霆，你可以帶小妹去逛這裡的夜市。」龍哥說。

迎上紀唯喜悅的表情，方佑霆露齒一笑。

方佑霆騎著機車載她離開修車廠，前往附近的夜市。

週六人潮多，兩人一走進夜市就被路人擠開，於是方佑霆朝女孩伸出手，「抓著吧，不然很容易走散。」

紀唯看著那雙大手，緩緩地抬起頭。看見她的遲疑，方佑霆微笑著指了指手腕的位置。

紀唯就這麼握著方佑霆的手腕，跟著他吃吃喝喝，四處閒逛。

女孩玩心大起，不只跑去撈金魚、射氣球，還玩了套圈圈。見她玩得不亦樂乎，方佑霆的情緒不知不覺也被感染，玩得比平常盡興，兩人笑聲未曾間斷。

三個小時後，他們穿過擁擠的人群走出夜市。

方佑霆回過頭，發現紀唯一邊吃著棉花糖，一邊抬頭盯著一家影音店的電視螢幕，裡頭正在播放日本搞笑節目。

落下視線，方佑霆的目光與嘴角笑意同時停頓——紀唯原本握在他手腕上的手，不知何時往下滑落，停在他的掌心。

女孩渾然不知兩人牽著手，繼續吃著棉花糖，隨著影片的內容呵呵嘻笑。

螢幕的光影照亮她白皙的側臉，方佑霆凝視她片刻才開口喚：「紀唯。」

當她回眸，他笑，「走了？」

「好。」

女孩跟著他回到停車場，這時，兩人的手也鬆開了。

紀唯戴上安全帽，「大哥住的地方離修車廠近嗎？」

「騎車十分鐘就能到，怎麼了？」

「沒有，就突然好奇大哥的家在哪裡。」她害羞一笑。

他好奇她的好奇，「妳想知道？」

「嗯。」

方佑霆沉默了一下，「若妳不介意我家又小又窄，可以來看看。」

「眞的？」她驚喜。

「嗯，看完之後，我再送妳回家。」

「好！」

十五分鐘後，方佑霆將車子騎進一條小巷，停在一扇鐵門前。

這是一棟老舊住宅大樓，沒有電梯，兩人一口氣爬到五樓，方佑霆用鑰匙打開兩扇門後走進去，一邊開燈一邊匆促說：「屋裡有點亂，妳先等我一下。」

聽到他咚咚咚的腳步聲，紀唯探頭朝屋內一望，方佑霆正忙著撿起幾件散落在地的衣服。半晌，她開口：「我可以進去了嗎？」

「可以了，進來吧。」

紀唯將鞋脫下放在門外，進屋內環顧一圈，裡頭的空間確實狹小。

客廳跟臥房相連，中間只隔著一道白牆，連門都沒有，客廳也小到連玩呼拉圈的空間都不太夠。而臥房裡只有一個小衣櫥和一張單人床，旁邊的空間是廁所跟浴室，對面的空間則通往陽台。屋內不見半張椅子，因爲並不需要。

屋裡某樣東西占了客廳一半的空間，吸引了紀唯的目光，她立刻跑上前，驚喜地打量。

那是一張四方形的暖爐桌，跟卡通《櫻桃小丸子》家裡一模一樣的暖爐桌！

「大哥，你怎麼會有這個？」

從陽台回來的他莞爾一笑，「那是很久以前，大師的某位朋友不要的。我跟他要，他就送給我了。」

「好酷喔，我第一次親眼見到這種暖爐桌耶！」她雀躍不已，迫不及待拉開暖爐被，將雙腳放進去，右臉頰貼在桌上，闔眼羡慕地道：「我也想要這個，冬天的時候一定很溫暖。」

「確實很溫暖喔！天氣冷的時候根本不想離開被窩。等到冬天來臨，歡迎妳來這裡坐。」

「我還可以再來你家玩嗎？」

「當然可以。」

「哇，好開心喔，謝謝大哥！」她喜逐顏開，再次趴回桌上。

紀唯滿臉幸福的模樣，讓方佑霆忍俊不禁。

半小時後，方佑霆載紀唯回家。

車子停在公寓門口，紀唯將安全帽摘下交給他，「謝謝大哥載我回來，也謝謝你帶我去逛夜市。」

「別客氣。」他抬頭望著公寓，「妳還會想搬出這裡嗎？」

紀唯搖頭，有些難爲情，「上次聽了叔叔跟我說的話，我很感動，也釋懷了。我明明讓他們那麼難過，他們還是願意支持我、包容我。我眞的該懂事一點了，無論如何，我都不願再傷我媽還有叔叔的心，所以我不會再有搬出去的念頭了。」

「嗯，我相信那個時候，我爸也不是眞的會讓妳搬出去的。」

方佑霆望著這棟屋子，專注的神情像在回憶什麼，見狀，紀唯不禁問：「大哥會想念這裡嗎？」

「會啊，很懷念。」他轉回視線，淡淡一笑，「進去吧，晚安。」

「好。」

方佑霆準備離開，這時，紀唯叫住他。

他停下腳步，「怎麼了？」

「下週開始，我暫時沒辦法去修車廠找你了。下週六是我們學校的校慶運動會，我要參加田徑競賽，每天都要練習。」

「我知道了，妳專心練習，我會幫妳加油。」他鼓勵。

「那……校慶那天，你可以來看我比賽嗎？」

方佑霆意外，歉然一笑，「抱歉，下週六我要上班，應該沒辦法去看妳比賽。」

「是喔……」紀唯肩膀一垂，「那就沒辦法了，我原本想讓大哥看看我跑步的樣子。」

見她眼神落寞，方佑霆忍不住伸手摸摸她的頭，「對不起喔。」

「沒關係啦，我會連大哥的份一起努力跑，你要幫我祈禱，讓我拿到好成績。」

「沒問題，我一定幫妳祈禱。」方佑霆掛保證。

兩人就此道別，紀唯在原地目送對方消失在夜幕裡。

這晚睡前，紀唯躺在床上，回味今天跟大哥在一起的快樂時光，她想，她已經許久沒有這麼開心了。

她不自覺地帶著笑意進入夢鄉。

★

校慶運動會到來，整座校園熱鬧洋溢。多校合辦的運動會加上大型園遊會，讓今年的活動比以往盛大，人潮也暴增兩倍以上。

紀唯的家人也來到學校爲她加油。因爲之前的謠言，許多學生看到他們一家四口，忍不住議論紛紛，然而紀唯不在乎，也不再刻意跟沈佑嘉保持距離。對她而言，那些人的想法跟視線，都已經無關緊要。

「寶貝，妳的馬尾好像有點鬆了，媽幫妳重綁。」任母從隨身包裡拿出一把短梳，要幫女兒梳頭。

「田徑單項決賽是下午一點十分開始吧？紀唯是比哪幾項呢？」沈父看著手上的行程表。

沈佑嘉嘴裡咬著熱狗，口齒不清地大喊：「一百公尺跟八百公尺！」

「沈佑嘉，吃東西不要大聲講話，食物都噴過來了！」紀唯閃躲尖叫，嫌惡地打他的肩膀。

「咦？那妳班上的何詩詩，也是跟妳比同個項目嗎？」任母問。

「不是，她是兩百跟四百公尺，這次我們沒有碰頭。」她蹙眉一嘆，「但她眞的對我很嚴苛耶！老是叫我不要丟學校的臉，這幾天又一直嘮叨，說至少要把兩面金牌留在我們學校，眞是的！」

「我想，這是因爲她相信妳的實力呀。」任母莞爾，「放輕鬆點，別給自己太大的壓力，盡力就好。」

比賽前十五分鐘，紀唯站在一群選手中暖身，何詩詩走到她身邊。

「任紀唯，那就是妳媽媽跟繼父嗎？」

紀唯順著何詩詩注視的方向看，家人們坐在觀眾席一角，手裡拿著手機對準她。她一邊對鏡頭揮揮手，一邊回答：「對啊。」

「妳媽媽眞的很漂亮耶！繼父看起來也很有型，我剛剛聽到很多人在討論你們。」看到拿手機不斷東拍拍、西拍拍的沈佑嘉，何詩詩匪夷所思，「但沈佑嘉看起來跟他爸不怎麼像，感覺差很多。」

紀唯噗哧一聲，「難得我們有相同想法。」

這時，何詩詩又指著某個方向，「任紀唯，妳看那裡。」

她依言往觀眾席另一邊瞧，發現關旭彥和以前班上的同學坐在那裡。而暗戀著關旭彥，曾經當眾羞辱她的那個女生就坐在他身邊。

「我跟妳打包票，三年級的那群人，還有妳前一班的同學，現在鐵定都在等著看妳的笑話。」何詩詩挑起一邊眉，「妳知道如果是我會怎麼做嗎？」

紀唯看著她，沒有回應。

「我會讓他們從此閉上嘴巴，知道小看我是多麼愚蠢的事。那些人越希望我一蹶不振，我就越要贏給他們看，絕不讓他們稱心如意。尤其是關旭彥，我一定會讓他打從心底後悔。」

「後悔？」

「對，我會讓他因爲不信任我而後悔莫及，看清自己的懦弱和膚淺。等到他深深體悟到這一點，我再告訴他，老娘已經不屑他了！那群人越希望我挫折難過，我就越要比以前更開心。」

何詩詩揚起自信的微笑，「我認爲，之前妳所受到的屈辱，妳可以全數還給他們。今天這個舞台，就是最適合的地方。」

語畢，何詩詩轉身走向其他隊員。

電視裡的新聞主播正播報著此刻的時間，方佑霆不禁停下修車的動作，抬頭往牆上一瞧，視線停留在顯示著兩點整的時鐘上。

運動會前一晚，他收到紀唯的訊息，分享她比賽的項目表及時間。今天中午，她又傳了一張自拍給他。

以滿是人潮的校園爲背景，紀唯綁著俐落馬尾，拉開運動外套，對鏡頭展示別在胸前的號碼牌，笑得無比燦爛。

「大哥，我是20號。眞希望你也可以來。」

看著女孩的照片和文字，方佑霆想起她之前露出的失落表情。

「我原本想讓大哥看看我跑步的樣子。」

方佑霆掉入思緒，這時，大師走過來拍拍他的肩，「阿霆，這邊我來，你去門口幫大熊搬個東西。」

「好。」他放下手邊工作，離開時又停下腳步，回頭喚了聲：「大師。」

「嗯？」

「我想跟你商量一件事。」

一陣歡呼跟掌聲響起，女子四百公尺決賽正式結束。

何詩詩在兩百公尺中獲得第一，四百公尺獲得第三。紀唯在一百公尺中獲得第四，現在只剩最後一場八百公尺的比賽。

紀唯站在跑道上，看見家人們熱烈地幫自己加油，沈佑嘉還激動地一手拿手機拍照，另一手不斷對她揮舞，只差沒跳起來。逗趣的畫面使紀唯啞然失笑。

接著，她瞥見關旭彥和以前班上的同學們正望向她。

紀唯想起何詩詩說的話，一低頭，剛好與站在司令台下的她對上眼。

注意到紀唯的視線，何詩詩回以一個意味深長的微笑。

「我會讓他因為不信任我而後悔莫及，看清自己的懦弱和膚淺。」

紀唯感覺渾身血液漸漸沸騰。

這時，方佑霆也出現在學校裡。

他戴著鴨舌帽，穿過觀賽的人群。往跑場一看，很快就發現身穿二十號背心，綁著馬尾的紀唯。

她一臉鎮定地站在三號跑道上，不時拉著筋，但她不時輕輕吐氣的模樣，仍看得出她有點緊張。

跑場旁的呼喊聲引起方佑霆的注意，沒多久，他就在觀眾席中發現弟弟及父親的身影，也見到紀唯的母親。三個人笑容滿面，一起幫紀唯加油。

方佑霆靜靜凝望著他們，直到聽見響亮的哨聲，注意力才被拉回到操場上。

選手們聽從指示，準備起跑。紀唯也蹲下身，做出起跑姿勢，頭朝向地面。

「各就各位，預備——」

她闔眼屏息。

「我會讓他們從此閉上嘴巴，知道小看我是多麼愚蠢的事。」

紀唯睜開雙眸，抬頭直視前方，那一刻，方佑霆瞬時呆住了。

槍聲響起，所有選手如脫韁野馬般疾馳。

一片加油聲浪中，紀唯心無旁騖地全速衝刺，任憑心臟激烈跳動，任憑汗水滑過額際，乘著風和陽光，將體內所有能量釋放而出。

看見終點線的剎那，紀唯的腦海裡只有一個念頭：她會讓那些人通通閉上嘴巴，再也笑不出來。

絕對！

跨越終點線的那一刻，全場歡聲雷動。

紀唯氣喘吁吁，回頭就看見家人們欣喜若狂地拍手尖叫，其他隊員紛紛衝上前，給她熱烈的擁抱。

何詩詩也掩不住喜悅，激動放聲大喊：「任紀唯，幹得好！這樣兩百跟八百公尺冠軍都由我們學校包了！」

紀唯露出笑容，伸手與她擊掌。

女子田徑單項決賽中的八百公尺，由紀唯的2分19秒36，奪下第一。

任母走到紀唯面前，給她一個大擁抱，表情充滿欣喜與驕傲，「寶貝，妳太棒了，不愧是我的女兒！」

「媽，妳怎麼哭了啦？」紀唯噗哧一聲，幫她擦去眼角的淚。

「妳媽媽是喜極而泣。紀唯，妳眞的很了不起，叔叔對妳刮目相看。」沈父爲她鼓掌。

「任紀唯，妳知道妳衝到第一的時候，關旭彥他們的表情有多精彩嗎？眞的太痛快、太過癮了，哈哈哈！」沈佑嘉激動到連聲音都破了。

「沈佑嘉，你別再用那副破鑼嗓子說話了，喉嚨都不會痛嗎？」紀唯失笑。

遠遠看著他們四人和樂融融的模樣，方佑霆的嘴角微微牽動，下一秒，他轉身離開。

「頭好痛，媽，妳幫我綁的馬尾好像有點緊。」紀唯皺眉。

「那媽再幫妳綁一次？」

「沒關係啦，反正比賽也結束了，直接放下來吧。」

卸下橡皮筋時，餘光不經意瞄到前方人群中的某道身影，紀唯的心臟霎時重重一跳。

「抱歉，我離開一下，你們先去逛逛吧！」

「任紀唯，妳要去哪？再十五分鐘就要頒獎了耶！」沈佑嘉詫異。

「我知道，我馬上就會回來了！」

說完，紀唯快速地往那人消失的方向跑去。

茫茫人海中，她專注地尋找那個人的身影，想到對方可能已經離開學校，她的心裡就一片焦急。

最後，她決定朝另一個方向奔去。

教學大樓後方的圍牆外，有一名戴著鴨舌帽，走在人行道上的年輕男子。

她立刻衝上前，跳上圍牆，朝對方大喊：「大哥！」

正要離開學校的方佑霆，聞聲回頭，紀唯居然高站在鐵絲網後面，探出一顆頭。

「你眞的來看我比賽了？」她驚喜地看著他，激動不已，「怎麼都不跟我打聲招呼，就這樣走掉了？」

方佑霆還來不及開口，目光就被女孩的燦爛笑顏奪去。

「大哥，我表現得怎樣？跑得快嗎？」

涼風吹拂紀唯放下的長髮，陽光照亮她紅潤的臉蛋，眼前的女孩耀眼到令他難以移開視線，呼吸也跟著停住一秒。

「很快。」

「眞的？」

「嗯，妳眞的很棒，大哥以妳爲榮。」

方佑霆的肯定，讓紀唯臉上的笑意更深，心裡一片喜悅跟暖意。

「謝謝大哥。」她感動不已，「眞的謝謝你來看我比賽，我好高興！」

「我也很慶幸有來看妳比賽。」

「嘿嘿。」她有些害羞，「大哥，你明天有空嗎？今晚叔叔要帶我們去吃飯，所以我沒辦法去找你，明天可以跟你見個面嗎？」

「可以啊。」他爽快同意。

「太好了！那我再跟你聯絡，明天見！」紀唯揮了揮手，跳下圍牆。

她就這樣消失在他的視線中，方佑霆也打算要離開。這時，學校裡響起的鐘聲，讓他再次停下腳步。

十六聲熟悉的音節，令他驀地恍神，也聽見腦海深處傳來的聲音——

「佑霆，你知道嗎？其實我很羨慕你。」

「怎麼樣才能像你一樣自由？」

方佑霆失神地盯著被風吹落到眼前的落葉。

鐘聲停止，那人的聲音也消失了，卻有幾幕畫面還殘留在餘光，他的心因此隱隱作痛。

「敬華。」他靜靜凝視那一片落葉，「你現在自由了嗎？」

葉子飄向遠處，彷彿一隻蝴蝶在陽光下隨風翩然飛舞。

換上便服的紀唯，與田徑社隊員道別，準備到校門口跟任母他們會合。

經過操場時，有個身影佇立在司令台前。

兩人視線一對上，將近十秒都沒出聲，最後，紀唯主動打破沉默，「怎麼還不回去？在等你同學嗎？」

關旭彥搖搖頭，「我想碰碰運氣，看能不能見到妳。」

他們隔著一段距離站在司令台下，望著熱鬧過後的寧靜校園。

「今天的比賽，妳表現得非常好。」他啟口。

她看他一眼，唇角微掀，「謝謝。」

「還有……」他沉聲說：「之前的事，我很抱歉。」

聽到他的道歉，紀唯發現內心竟然毫無波瀾，連憤怒跟大快人心的情緒都沒有，彷彿他的愧疚對她眞的不具任何意義。

「我可以問你一件事嗎？」她對上他的眼睛，「你當初爲什麼會喜歡我？我什麼地方吸引你？」

關旭彥沉默許久才開口：「妳的眼神很吸引我。」

「眼神？」

「嗯，當妳站在跑道上，準備起跑的那一刻，抬頭目視前方的眼神……是最吸引我的。還有，妳跨越終點線，露出的笑容。」

他停頓一下，「除此之外，妳的開朗、樂觀、自信，還有不輕易服輸的個性，我也都很喜歡。」

紀唯的眼睛微微酸澀。

「我有讓你覺得驕傲嗎？」她再問：「我曾讓你有『以我爲榮』的心情存在嗎？」

關旭彥再度默然，低啞回應：「有。」

紀唯嚥下湧上喉嚨的淡淡酸楚，不再作聲。

她想，這樣或許就已經足夠了。

手機鈴聲響起，打斷兩人的對話，她接起來，彼端的人不斷嚷嚷。

「好啦，我已經在路上了。沈佑嘉，你能不能小聲點？我耳朵都要聾了！」

結束通話，紀唯轉頭對關旭彥說：「抱歉，我『家人』還在等我，我要走了。」

關旭彥怔怔看著她，輕輕點頭。

「再見。」紀唯微笑，頭也不回地往校門口走去。

★

隔天上午，紀唯背著包包走出房間，跟正從洗手間出來的沈佑嘉撞個正著。

他好奇地問：「妳要去哪？」

「我今天有約，晚上會回來。」她走到玄關，俯身套上靴子。

「妳跟誰有約？同學嗎？」

「不是。」

「那是誰？妳還有認識同學以外的人？」

「你很囉唆耶，問這麼多幹麼？」

沈佑嘉靈光一閃，脫口道：「妳不會是要去找佑霆哥吧？」

紀唯驚訝，猛然回頭，「你怎麼會知道？」

沈佑嘉發覺大難臨頭，正要逃走卻被她一把抓住，「喂，給我從實招來，你為什麼知道我要去找大哥？」

「我、我曾經在妳房間裡發現哥的名片，有偷偷去見他一次，後來也跟哥保持聯繫。他說妳去找過他，所以我才想，妳會不會是跟他有約……」

「你什麼時候去見過大哥了？」紀唯意外。

「之前段考的時候。看到妳有那張名片，我太驚訝，就親自跑去那間修車廠，看看哥是不是眞的在那裡。」

見女孩深深皺起眉頭，沈佑嘉連忙解釋，「是我拜託哥對妳保密的，因為妳當時碰到一堆鳥事，心情很差。要是再讓妳知道，我是因為偷跑到妳房間，才看見那張名片，妳一定會發飆，我不想讓妳更生氣。」

紀唯啞然失笑，沒想到她只是問一句，這傢伙就全招了。她也懶得再生氣，無奈地坦承，「好啦，我確實是跟大哥有約。沒人知道我們有聯繫，所以你要替我保密，別告訴我媽喔！」

「任紀唯，我跟妳去！」

「爲什麼？」

「我想見哥啊！那次之後，我就沒再去修車廠了，我也想再跟哥多說說話！」

「嘿嘿，不好意思啦，是我先的。你自己再約他，我今天要跟大哥單獨約會，你不許來湊熱鬧！」

「哪有這樣的？」

「不管，誰叫你動作慢。」她一臉得意。

「什麼嘛。」他噘起嘴，悶悶咕噥：「妳一點都不公平……」

「我不公平什麼？」

「就是……」他忽然扭捏，吞吞吐吐，「妳到現在都還是叫我『沈佑嘉』。」

「什麼意思？不叫你『沈佑嘉』，那要叫什麼？不會眞的要我稱呼你『花美男』吧？我會吐耶！」紀唯傻眼。

「不是啦，我的意思是，妳對佑霆哥都可以大哥大哥的叫，卻從來沒有這樣稱呼我。」

紀唯呆了一下，「難道你……是希望我能叫你『二哥』？」

沈佑嘉眼睛發亮，用力點頭。

紀唯哈哈大笑，一秒變臉，「想都別想！」

「爲什麼？」他遭受打擊。

「想要我叫你『二哥』，麻煩你先拿出哥哥的氣魄。昨天晚上，我要你把在客廳裡的蜘蛛趕跑，你嚇得躲進房裡，要你幫忙搬個東西，也喊腰痛、腰痠。說眞的，要不是你大我一歲，我還覺得你比較像我弟。」

「唉唷，我從小就害怕昆蟲，克服不了啊。而且我的腰會不舒服，是因爲坐著打電動打太久，不是因爲我體力差！」

「不必再解釋了，總之這種要求你別妄想，拜拜！」紀唯轉身打開大門。

「任紀唯，那妳幫我跟哥說，下次換我約他！」沈佑嘉在背後喊。

「好啦！」

午餐時間，紀唯和方佑霆在餐廳吃午飯，順道將沈佑嘉交代的事轉告給方佑霆。

他笑到眼睛瞇成一條線，「不然，下次我們三人一起約，我帶你們出去玩。」

「好啊，但他眞的很吵，你要有心理準備。」

「沒問題，我準備好了。」他一臉自信。

「對了，你昨天怎麼有辦法來我們學校？你不是要上班嗎？」

「我請大師放我兩個小時的假，原本想跟他商量，看是要換班還是怎樣，結果我一說要去看妳比賽，他馬上叫我滾去學校，還罵我太晚講。」

紀唯大笑，「那我下次去修車廠，一定要謝謝大師！」

吃完飯後，他們看了一場電影，再到電子遊樂場痛快玩耍。

太陽漸漸下山，紀唯提議，「大哥，要不要再去一次我們學校？我帶你參觀。」

「好啊。」方佑霆一口答應，於是他們繞到學校。

週末的校園冷清，寬廣遼闊的大操場，只有他們二人的身影。

「大哥，你的運動細胞怎麼樣？」

「我？還可以吧。」

「那你要不要跟我比一場？」

「好啊，可是以妳昨天的速度，我絕對贏不了妳。」

「不一定呀，就當作好玩，試試看吧！」紀唯脫掉靴子跟襪子，光著腳丫站在起跑線前，朝他揮揮手，「大哥，來吧！」

方佑霆笑著走過去，兩人各站一個跑道。

稍微熱身後，他問：「跑一圈嗎？」

「嗯，一圈！」紀唯蹲下身準備起跑，等對方也蹲到跟她一樣的高度，她說：「大哥，數到三就衝喔。」

「好。」

「預備——」她直視前方，「一、二……三！」

喊出最後一個數字時，兩個人同時迎著風，朝前方奔去。

耳邊風聲颯颯，沁涼的風穿過肌膚。心跳的頻率、呼吸的急促，隨著奔跑的腳步聲，清晰地在胸口迴盪。

離終點線剩下三百公尺，紀唯突然放慢腳步，最後完全停下，望著跑在前方的那個人。

溫暖的餘暉將方佑霆的身影包圍，他整個人像是在發光。

他跑步的身姿輕盈、飛快，而且十分美麗。雙腳離開地面的瞬間，紀唯一度以爲他就要展開翅膀飛翔。

眼前的男人猶如此刻的風，也像自由的鳥兒，彷彿隨時可以飛往任何想去的地方，不會回頭，更不會爲誰停留。

方佑霆在終點線停下，發現紀唯站在遠方動也不動地望著自己，訝異喊：「怎麼啦？爲什麼停下來了？」

紀唯猛然回神，才意識到她居然不小心看到入迷。

穿過操場中央回到男人面前，她呼吸不穩地說：「剛剛跑到一半，腳底踩到石子，有一點痛。」

「有受傷嗎？」見她搖頭，他鬆一口氣，「那就好。」

接著，他拉拉T恤的領口，笑著喘息，「好熱，我好久沒全力奔跑了！」

他脫下夾克，坐在操場上。沒多久，他攤開雙臂直接躺下，闔上眼睛，胸口起伏不定，嘴角掛著滿足的微笑。

紀唯凝視他片刻，在他的身邊躺下，只要一轉頭，就可以清楚看見他的側臉。

紀唯靜靜望著天空裡那一朵朵金黃色的雲，全身放鬆，感受涼風的吹拂。

「大哥。」

「嗯？」

「我昨天問了我前男友，他當初喜歡我的理由是什麼？他說，他喜歡我起跑時的眼神，還有我跑到終點線時的笑容，也喜歡我開朗、樂觀、不輕易服輸的個性。」

女孩停了下來，方佑霆問：「然後呢？」

「然後……我再問，他是否曾經以我爲榮？他說有。」

紀唯閉上眼睛，輕聲低喃：「我想要知道，在我曾經喜歡的人眼中，我究竟是怎樣的形象？對他來說，我又是怎麼樣的人？」

沒等方佑霆回應，紀唯就轉過身，兩手撐著下巴，納悶盯著他，「大哥，你覺得我有像他說的這樣嗎？」

「這個嘛……我覺得有。」

「真的？」她訝異。

「嗯，昨天看妳比賽，我也覺得跑步時的妳非常有魅力，還不小心看呆了呢。連我都被妳震懾住，更何況年紀與妳相仿的男生。就算聽到有一堆男孩喜歡妳，我也不覺得意外。」

「大哥，你太誇張了吧？講得好像有一群人在暗戀我。」

「當然不是這個意思，我只是站在與妳熟識，又與妳同年紀的男孩立場去想，才會這麼說。」

「喔？」紀唯偏頭，「意思是，如果你現在跟我一樣是十七歲，你可能也會喜歡上我？」

方佑霆的胸口隨著笑聲而震動，他雙眸一轉，對上她的眼睛。

「不是可能。」他語氣肯定，「是一定會。」

紀唯的心瞬間顫動了一下。

語畢，方佑霆轉回視線，並再度闔眼。

她不禁抿唇，忽然有點害羞，轉移話題，「大哥，你十七歲的時候都在做什麼？」

「我啊……」他呢喃：「我都在做蠢事。」

他張著眸，視線停在天空的某一點，「紀唯，妳知道嗎？昨天看妳跑步，我想到一樣東西。」

「什麼東西？」她好奇。

「流星。」

「咦？爲什麼？」

「很久以前，我在山上的天空中，親眼看見一顆流星劃過。它離我好近好近，當時我的心情，就跟看到妳第一個衝到終點線是一樣的，很感動，也很澎湃。」

紀唯默然一會，「我也有看過喔。」

「眞的？妳在哪看到的？」

「在夢裡。」她露齒一笑，「我去年做過一個夢，夢裡有一整片星空，五顏六色的。在我忙著數有幾種顏色的時候，有一顆流星從眼前劃過，非常美麗。我想，跟大哥看到的應該差不多吧？」

「搞不好是同一顆，因爲我看到的星空，也有很多種顏色。」

「哈哈，眞的嗎？所以我的夢跟大哥當時在的地方，其實是相通的囉？」紀唯打趣道：「我在夢裡頭有追著流星跑，追到最後說不定就可以見到大哥了！」

「不，妳只會看到一個半夜不睡覺，還溜出家，年紀跟妳差不多的臭男生坐在機車上，傻愣愣地盯著天空看。」

「你當時有騎車？」

「嗯，我從以前就喜歡高的地方，經常獨自騎去山上看星星。」

「我還以為你騎車是想去載流星呢。」紀唯咯咯笑。

「載流星……」他沉吟一會，嘴角揚起，「也許是吧。」

「那你現在還會一個人去山上看星星嗎？」

「很早以前就沒有了。」

淡淡落下這句，他坐起身，溫聲對她說：「時間差不多了，我們走吧。大哥現在不去載流星，只載妳回家。」

「好。」紀唯深深莞爾。

★

某個下著雨的週末，沈父與任母去了外縣市，晚上不會回來。

紀唯坐在客廳，一邊叫外送，一邊瀏覽影音平台。餐點送到時，她也選好要看的電影。

她走去敲敲某扇房門，對裡頭的人說：「沈佑嘉，我叫了鹹酥雞跟飲料，出來一起吃吧。還有，一部票房很高的電影今天上影音平台了，你要看嗎？」

「好啊好啊，妳說的是什麼電影？」

「去年上映的泰國鬼片。」

房裡頭忽然一陣安靜，幾秒後他才回：「好，我等等就出去。」

幾分鐘後，從房間出來的人，不禁讓紀唯傻眼。

沈佑嘉全身裹著一條毛毯，只露出一張臉，在紀唯身旁坐下。

「沈佑嘉，你幹麼把自己包成這樣？」

「其實我很怕看鬼片，每次看鬼片，我就會這麼做。」他打了個哆嗦。

「是喔，那你把宵夜拿去房間吧，不用勉強自己看。」

「可是我又很想看……」

紀唯無言，但還是按下了播放鍵。

影片沒播多久，她就後悔邀請沈佑嘉了，因爲他嚴重影響觀影。

男孩不時被劇情嚇得誇張大叫，甚至整個人縮在沙發角落，毛毯裡的兩隻眼睛驚恐地眨個不停。

在沈佑嘉的驚叫聲中，他們看完了兩個小時的電影。

紀唯關掉播放器，忍不住罵：「沈佑嘉，你眞的很吵耶！」

「吼，因爲眞的很恐怖啊。慘了慘了，我今晚一定睡不著啦！」

「好啦，給你看綜藝節目壓壓驚。我回房間了，先幫你關燈囉，晚安。」

他抓緊紀唯的手腕，不讓她走，「不要關燈，妳不要在這時候留我一個人啦！」

「拜託你好不好，膽子怎麼會小成這樣？關燈你也怕！」

「我有理由的嘛……我小時候曾被我媽關進倉庫一個鐘頭，從此對漆黑的地方有陰影，睡覺時也一定要開夜燈。剛剛看完這麼恐怖的片子，關燈會嚇死我啦！」

「你做了什麼好事，才被關在倉庫裡一個鐘頭？」

「家裡拜拜的時候，我不聽我媽的話，偷偷把桌上的蠟燭拿起來玩，結果差點把家燒掉，連消防車都來了。」

「哇，那真的該關，一個鐘頭還太便宜你了！」

「那個時候我才五歲，又不是故意的。我被關起來後，我一直敲門一直哭，都沒人理我，等到哥放學回來，他才救我出去。多虧了他，不然我鐵定會被關得更久。」

「是大哥放你出來的？」

「對啊，每次我闖禍被爸媽修理，都是哥救我。當我被欺負，躲起來哭，不管我在哪裡，哥也一定都會順利找到我，真的很厲害！」

聽到這裡，紀唯心裡湧起一絲好奇，「你被誰欺負？」

「小學同學。我小時候經常生病，三不五時就去醫院。因爲身體不好，我看起來瘦巴巴又弱不禁風，因此老是被班上的壞同學欺負。我不敢跟爸媽講，都躲到沒人的地方哭，但哥會找到我，問我要不要玩傳壘球？」

「傳壘球？」

「嗯，我從前經常跟哥玩這個，每次他找到躲起來的我，我們就會在家門口互相傳球，直到我心情好轉。」

回憶過往的沈佑嘉，露出懷念的笑容，「以前哥都叫我『小鬼嘉』。我很崇拜他，喜歡當他的跟屁蟲。爸媽感情變差，開始頻繁吵架的時候，我更是時時刻刻黏著他，不敢跟他分開。只要跟哥在一起，我就會很安心。」

紀唯不禁認眞聆聽，「你這麼黏大哥，你們分開時不就哭慘了？」

「是啊。」他點頭，語氣添上淡淡的落寞，「我哥答應會回來看我，再跟我玩傳壘球，可我再也沒見過他。我問爸他在哪裡，爸也不回答我，直到有次聽到我爸跟我媽講電話，我才知道哥失蹤了。不過，幾天後就聽說他回來了。」

「大哥爲什麼失蹤？」她有些意外。

「我也不清楚詳情，加上是十年前的事情了，很多細節都沒了印象。但我依稀記得我有問老爸，他似乎是說，哥是因爲太傷心才決定出去走走，很快就會回來，叫我別擔憂。」

「你是說，大哥是因爲父母離婚，打擊太大了，才會失蹤？」

「不，現在回想起來，我覺得哥應該早就有心理準備了，畢竟他比我大很多，已經是懂事的年紀了。那個時候，哥的身邊還發生另一件大事，他有一個非常要好的朋友出了意外，不幸死了。」

紀唯愣住。

「那件事發生後不久，我爸媽就離婚了，我哥跟著我媽離開。過沒幾天，就傳來哥失蹤的消息，從此之後，我就再也沒聽到哥的事，老爸也不告訴我。我怕老爸生氣，不敢一直問，久而久之，我也打消再跟哥見面的念頭了。」

沒想到方佑霆曾經發生過這樣的事，紀唯頓時沉默不語。

「那大哥離開後剩你一個，你不就很孤單？」

「超孤單的，家裡就剩爸跟我，他去上班的時候，我只能自己拿壘球玩。」

紀唯盯著他，想起一件曾經非常好奇的問題，「沈佑嘉，我問你。」

「什麼？」他看她。

「叔叔跟我媽結婚前，有次我們四人聚餐完，你送我回家。你告訴我，因爲會跟你當家人的人是『我』，你才不介意你爸再婚。我想知道理由是什麼？」

「喔……」他摸摸鼻子，有些不好意思，「這是因爲，老爸剛跟筱琴阿姨交往的時候，他就有跟我說妳的事，那時候我便對妳感到好奇。筱琴阿姨也有給我看妳的照片，但直到妳進我們學校，我才有機會親眼見到妳。」

他靦腆笑著，「開學的那一個月，學校不是爲了歡迎新生，舉辦了一場運動會嗎？那天妳有比田徑，我就在現場看，那是我初次見到妳，也是初次看妳跑步。妳在比賽時，我覺得妳整個人都在閃閃發亮，非常帥氣，很驚訝老爸交往對象的女兒，是這麼厲害的人。當妳上台領獎，我就忍不住想，若老爸跟筱琴阿姨真的結婚，妳就會變成我的家人，心裡覺得很開心、很驕傲！」

紀唯凝視他，「我讓你覺得很驕傲？」

「對啊，妳比我認識的任何女生都酷，所以老爸確定要跟阿姨結婚時，我超開心！」

感動的情緒在胸口發酵，她噗哧一聲，「你眞的很浮誇。」

伴隨窗外雨聲，他們又一起看了一部電影。看到一半，紀唯的肩上忽地傳來一股重量——沈佑嘉閉著眼睛靠著她睡著了。

看著他熟睡的樣子，紀唯不禁想起至今發生的種種一切。

在她最水深火熱的時候，沈佑嘉不畏流言蜚語，始終堅定地站在她這一邊，替她說話、替她生氣難過、替她打抱不平。

爲了讓她順利轉班，即便冒著惹怒她的風險，也要把她發生的事告訴大人，扭轉她的困境。

如果沒有沈佑嘉，她一定無法解決這些事，也不會打破與叔叔和母親的僵局，更不會認清誰才是眞正爲她著想的人。

沒有這些「家人」在身邊，她一定撐不過那段最煎熬的時光。

「妳對佑霆哥都可以大哥大哥的叫，卻從來沒有這樣稱呼我。」

紀唯勾起唇角，對著他的睡顏，小聲說：「謝謝你了，二哥。」

聽見沈佑嘉發出「咕嚕」的小小鼾聲，睡得十分香甜，她微笑著將目光轉回電視螢幕。

★

沈佑嘉向來傻傻憨憨，不懂得看狀況，容易把一些不該說的話搬到檯面上講。跟他相處久了，紀唯明白他只是腦袋單純，所以很少再爲他說溜嘴的毛病生氣。而且她沒再碰上什麼麻煩，不擔心還有祕密被他爆出。

但是她錯了，錯得離譜。

她太天眞，沒料到沈佑嘉的天兵還可以再升等。

某個星期五的晚上，紀唯第一次有想把沈佑嘉活活掐死的念頭。

他們一家四口和樂融融地吃晚餐，沈父提議明天全家一起出遊玩，沈佑嘉馬上雀躍地問：「爸，可不可以找哥一起去？」

紀唯跟沈父被他突如其來的發言嚇了一跳。

任母一時沒意會過來，「佑嘉，你說誰？」

「我哥哥啊，佑霆哥！」他開心地回答：「我前陣子跟哥重逢了，他完全沒忘記我耶！」

「這樣很好呀，你們兄弟倆十年沒見了吧？你一定很想他。你是在哪裡見到佑霆的呢？」

「哥在一家修車廠上班，我在任紀唯那裡發現他的名片，就跑過去找他了。」

紀唯當場被嘴裡的飯噎到，用力咳了幾聲。

「這是什麼意思？唯唯有佑霆的名片？為什麼？」任母不解。

「我也不知道她怎麼會有哥的名片，而且她還比我早一步去見哥！」

任母意外地看著女兒，「唯唯，這是真的嗎？妳為什麼會去見佑霆？」

「因為……」

如墜冰窟的紀唯，緊張到不自覺往沈父的方向瞥去。這眼神當場被任母捕捉到，她馬上轉頭問身旁的任父，「老公，你也知道這件事嗎？」

「這個……」面對妻子的質問，一向沉著的沈父竟也難得語塞。

完全沒察覺氣氛變化的沈佑嘉，繼續傻呼呼地問個不停：「老爸，哥的名片該不會是你給任紀唯的吧？畢竟你應該知道哥上班的地──好痛！」

紀唯在桌下狠踹沈佑嘉一腳，急忙反駁，「大哥的名片不是叔叔給我的，是我從同學那裡拿到的！」

雖然這是事實，但聽在此刻的任母耳裡，怎樣都像是謊言。她默默盯著丈夫與女兒，嚴肅地說：「你們是不是有事瞞著我？」

察覺大難臨頭，紀唯不敢再待下去，連忙收起碗筷，「我吃飽了，我這禮拜作業比較多，我先回房間趕作業了！」她飛也似地離開餐桌，落荒而逃。

八點半，洗好澡的紀唯從浴室出來，聽見客廳傳來任母跟沈父的交談聲，她輕手輕腳地走近偷聽。

「你怎麼可以跟唯唯說那些話？明知道我生氣了，還對她開那種條件。」

任母的語氣帶著不悅，發著脾氣，試圖讓丈夫坦白供出一切。

「對不起，老婆，我不知道要如何讓紀唯改變心意。而且要是紀唯眞的無法待在這個家，妳也會跟著一起離開，我才不得不出此下策。我擔心妳會離開我。」

「可是，你難道沒想過，唯唯眞的會跑去找佑霆嗎？」

「嗯，所以我聽到佑嘉說的話也很驚訝，不曉得紀唯是如何拿到佑霆的名片？因爲我根本沒說出佑霆的下落，連名字都沒透露，沒想到她居然能順利找到人。不過現在想想，紀唯沒再跟我提這件事，我想，她不是改變心意，就是找佑霆談卻沒成功吧？」

「你希望佑霆回來嗎？」

沈父沉默一會，「其實，我從不認爲那孩子會回來。」

這句話讓紀唯怔住。

「就算紀唯眞的找到了佑霆，將我的話告訴他，我想他也不至於當眞。畢竟這十年來，佑霆都沒主動回到這個家。我也不認爲他會想改變現在的生活。那孩子跟佑嘉不同，從以前就很獨立自主，現在又跟著他母親，不太可能回到我身邊。」

「你明明知道還……眞是受不了你！」任母話聲無奈。

「對不起，我不是故意瞞著妳，我是怕妳會更傷心，才不敢讓妳知道，原諒我吧。」沈父軟言求饒。

聽完這些話，紀唯呆呆地杵在原地不動，腦中回想起第一次去修車廠見方佑霆時的對話——

「這樣會不會很辛苦？你沒想過再和家人一起住嗎？」

「我習慣了，所以不覺得辛苦。而且，我母親幾年前也已經再婚，有了新家庭，就算我不在，她也不至於寂寞。」

也想起他送她去搭公車時，他的答覆。

「我……不會回去。」

當時他臉上掛著的悲傷微笑，與那時候一樣。

「無法坦然接收『家人的心意』時，到底該怎麼做才好？大哥有過這樣的經驗嗎？」

「有啊。」

「眞的？」

「嗯，就像妳告訴我，我爸希望我回家，而我說『沒辦法』的時候。」

那次兩人一起逛完夜市，他送紀唯到家門口，這麼跟她說。

「我相信那個時候，我爸也不是眞的會讓妳搬出去的。」

「其實，我從不認爲那孩子會回來。」

客廳裡的兩人還在交談，突然間，紀唯衝到他們面前，嚇了他們一跳。

「叔叔，所以打從一開始，你就確定大哥不會回來，而你也不想讓他回來，是這樣嗎？」

看著女孩充滿悲憤的面容，沈父連忙澄清，「不是這樣的，我不是故意要騙妳——」

「我不怪叔叔騙我，也不氣你騙我，整件事本來就是我惹出來的，是我的錯！可是，當叔叔你說，希望大哥回來這個家，讓你們父子團聚，那時我其實很感動。或許對你來說，這個條件不可能做到，你也確定我不會搬走，所以沒再把這件事放在心上。」

紀唯聲音發顫，「可是，你有沒有想過，萬一哪天我真的找到大哥，把這些話告訴他，他聽了心裡會有什麼感受？」

想起那天在家門前，方佑霆凝望著這個家的眼神，這一刻，紀唯的心一陣刺痛。

「大哥會想念這裡嗎？」

「會啊，很懷念。」

「如果大哥他……」紀唯微微哽咽，「其實是想回來的呢？」

紀唯這句問話，讓沈父呆住了。

「無論如何都不行嗎？」

「嗯，對不起。」

紀唯這才明白，也許方佑霆從一開始就知道了。

他知道父親並非眞的希望他回去，只是爲了不讓她搬離家裡，才會提出「不可能實現」的條件。

聰明的他，早就揣測到父親的心思，知道父親不認爲他會願意回到這個家。

因爲知道父親眞正的想法，所以拒絕紀唯之後，他才會露出那抹帶著落寞與悲傷的微笑……

「叔叔你說，希望大哥回來與你團聚，難道不是眞心的？」她的眼眶漸漸溼潤，「你怕傷媽媽的心，卻不怕傷大哥的心嗎？」

沈父再度被問得回不了話。

「要是大哥其實很想念這個家，也想回來跟你一起生活呢？若他眞的回來了，卻發現這根本不是你的眞心，只是爲了敷衍我才利用他，那……」

淚眼模糊的這一刻，紀唯無法再說下去，下唇被她咬得發疼。

「無論如何，我都接受不了這種做法。叔叔，你實在太過分了！」

紀唯快步回房間，站在門後不動，淚眼婆娑環視眼前的每個角落。

這個房間，其實就是大哥從前的房間吧？這裡的一切，原本都是屬於他的吧？

她走到書桌前，靜靜地注視放在桌墊下的那張名片，幾分鐘之後，她走出房間。

發現紀唯換上便服走向門邊，任母緊張地上前問：「唯唯，妳要去哪裡？」

「我……覺得有點悶，想去外面透透氣。」紀唯低語，沒有看沈父一眼，「不用擔心我，我在附近逛逛就回來。」

說完，她頭也不回地步出家門。

微涼的夜晚，紀唯低頭縮著肩膀，雙手放進外套口袋，心不在焉地走在街上，在公車亭前停下腳步。

一台公車駛來，幾名乘客魚貫下車。

司機見她一直盯著公車瞧，問她有沒有要搭車，紀唯遲疑了下，點點頭。

搭到學校再轉車，一共四十分鐘的車程。下了公車後，她的雙腳自動朝某個方向前行。

十五分鐘之後，一台摩托車停在修車廠前。

方佑霆脫下安全帽，直接到修車廠旁的空地，一眼就看見獨自坐在輪胎上的女孩。

「紀唯！」

托腮發呆的女孩聞聲抬頭，發現方佑霆來到眼前，立刻站起身。

他驚訝地盯著她，「怎麼回事？都快十點了，爲什麼在這時間跑來這裡？」

「對、對不起，突然打給你。」她神情尷尬，狼狽地解釋，「我就……忽然很想見見大哥。」

她看起來不太對勁，方佑霆關心，「發生什麼事了嗎？」

紀唯咬唇，壓低了頭，不讓他看見她的表情。方佑霆也不再追問，提議，「來的路上我聽見雷聲，有可能會下雨。要不要先去大哥家坐一下？天氣變冷了，再淋雨的話會感冒喔。」

紀唯一聽，幾乎沒有考慮就點頭答應。

方佑霆騎車載著她回家，途中，兩人一路無話。

女孩雙手圈在他腰際上，突然間，他感覺到那股力道加重，往後照鏡一瞄，卻看不清她的神情。

抵達方佑霆的住處後，天空果眞下起了雨。

紀唯坐在暖爐桌前，抱住膝蓋不動，眼睛雖然盯著電視，思緒卻明顯不在那裡。

方佑霆走到陽台，用手機撥出一通電話，對方接聽後，他立刻喚：「喂？爸。」

「佑霆？怎麼了？這時間找爸爸有事嗎？」沈父有些意外地說。

「喔，其實是……」他回眸往室內一瞧，用女孩聽不見的音量說：「紀唯現在在我這裡。」

「紀唯？她人在你家？」

「對，她突然跑到我上班的地方，並聯絡了我。天氣有些冷，我擔心她著涼，決定先帶她到家裡。」

「好，我知道了。有你陪著她，我就放心了。剛才紀唯說要出去走走，卻一直沒回來，只傳訊息給她媽媽報平安，遲遲不肯接電話，我們都很擔心。」沈父鬆了一口氣，關心地問：「她還好嗎？」

「她看起來沒什麼精神，問她怎麼了也不說話。」

「是嗎？」父親聲音裡的落寞，讓方佑霆不禁猜測，「是不是她在家裡發生什麼事？」

「唉，是爸爸不好，惹那孩子生氣，我剛剛被她狠狠罵了一頓。」

方佑霆一臉難以置信，「紀唯罵你？眞的嗎？是什麼事？感覺很嚴重。」

沈父沒回答他，只說：「對不起，佑霆。」

方佑霆一愣，「爸爲什麼要跟我道歉？」

「我思慮不周，做事情沒有認眞想到後果。全是爸爸不好，我對不起紀唯，也對不起你。」

他聽得一頭霧水。

「佑霆，爸想拜託你，今晚讓紀唯留在你那裡。現在很晚了，外頭又下大雨，回來不方便。剛好明天週末，紀唯不用上學，我想等她心情好一點再跟她聯絡。就今晚而已，請你幫我陪著那孩子，可以嗎？」

「好，那爸也幫我跟紀唯的母親說一聲，明天工作告一段落，我會親自送紀唯回去，請她不用擔心。」

「嗯，謝謝你，給你添麻煩了。」

「不會啦，小事。那我去看看紀唯的狀況，明天再聯絡你，爸早點休息吧。」

「好，晚安。」

收起手機，方佑霆回到屋內。此時的紀唯仍坐在原地，頭靠在膝蓋上。

他默默坐到她身邊，「紀唯。」見她毫無反應，他打趣道：「怎麼不理我？討厭跟我說話嗎？」

女孩慢慢抬起一雙黯然無神的眼，搖搖頭。

「我剛才聯絡了爸，他同意妳今晚留在這裡，也會通知妳媽媽。」他觀察她的表情，笑著問：「聽說妳狠狠罵了我爸一頓？」

紀唯垂下眼眸，不敢看他。

「沒關係，如果妳不想說，大哥不會勉強妳。今晚妳就睡裡面的那張床，我睡這裡就好。我去幫妳倒杯溫開水。」

「大哥！」紀唯在對方準備起身時叫住了他。

「什麼事？」

「你……」她話聲乾澀，聲音細若蚊鳴，「你會不會覺得我根本是身在福中不知福？」

方佑霆不明所以，「什麼意思？」

「從我最初去修車廠找你到現在，大哥心裡對我都沒有一點點的憤怒、埋怨或是憎恨嗎？」

聽女孩說出「憎恨」這個字眼，他驚訝得瞠目結舌，心中困惑不減反增。

「我不懂妳的意思，為什麼妳認為我會憤怒、埋怨，甚至是恨妳呢？」

「因為……我常常對你說一些無理取鬧的話。不管是我說想搬出家裡，還是我無法接受叔叔的心意，以及無法接受他說希望我們像真正的父女。你聽到我這麼說，都不會覺得我既惹人厭，又非常不知好歹嗎？」

「當然不會，我怎麼會這麼想？」

「真的？」紀唯投向他的眼神有一絲懷疑，「大哥對我從沒有任何不滿，連一點討厭的感受都沒有嗎？」

「我沒有討厭妳的理由啊。」

紀唯紅著眼睛與他對視，突然起身往臥房走去。

方佑霆跟上，只見她直接鑽進床鋪，用被子蓋住自己。

他再度到她身邊，哄勸道：「紀唯，妳能把話說清楚嗎？爲什麼要問我這麼奇怪的問題？」

見她不回應，方佑霆伸手撥開蓋住她臉龐的長髮，卻牽起一絲淚光，手指瞬間僵住不動。

淚水從女孩的眼角溢出，落在髮絲上，勾出一道溫熱的淚痕。

「大哥，對不起。」

聞言，他笑起來，語帶納悶，「這是怎麼一回事？不只我爸跟我道歉，連妳也跟我道歉。」

「我的任性重重地傷害到你，對不起。」她聲音哽咽，「讓你露出了那樣的笑容……對不起。」

後面這句，紀唯說得非常小聲，方佑霆沒聽清楚，只知道她又道歉了一次。

「紀唯。」他認眞地開口：「我不知道到底發生了什麼事，也不曉得妳是不是誤會了什麼，但我可以跟妳保證，對妳，我從沒有那些感受，也不曾因爲妳說那些話就對妳反感。所以別再以爲大哥是討厭妳的，好不好？」

紀唯慢慢轉頭迎上他的視線，「你眞的沒有討厭我？」

「沒有。」

這張近在咫尺的笑顏，讓她的鼻頭又酸了起來。

大哥沒有生她的氣，也沒有討厭她……鬆一口氣的同時，紀唯的眼淚又不小心滑落，她趕緊別過臉，將頭埋入被窩，不讓對方看見她這副模樣。

方佑霆莞爾說：「早點睡吧，明天大哥忙完再送妳回家。」

「嗯。」她含糊地應了一聲。

紀唯早上八點半醒來，雨停了，方佑霆也已經不在家裡。

暖爐桌上放著一串鑰匙、一張寫給她的便條，以及一張五百元紙鈔。

方佑霆準備了新牙刷跟毛巾給她使用，還要她暫時把備用鑰匙留在身上，若肚子餓，可以用這些錢下樓買點食物。

他的體貼與面面俱到，讓紀唯很感動。

環顧客廳四周，目光停在電視機旁的一樣物品，紀唯好奇地走上前看。

書本擋著一幅相框，裡頭放著一張照片——兩男一女，三人穿著高中制服，背著書包。

站在中間的青澀男孩戴著眼鏡，長相斯文；右邊綁著公主頭的女孩，長得清新秀麗，烏黑長髮如絲綢垂落在胸前，對鏡頭笑得恬靜。

左邊那人紀唯再熟悉不過，是方佑霆。

第一次看見方佑霆年少時期的模樣，紀唯忍不住拿起相框仔細端詳。瞥了眼照片右下角的日期，她知道，這是十年前拍下的。

十七歲的方佑霆，有著如陽光般的耀眼笑容，眼裡映著純眞的光芒。

客廳裡只看得見這一張照片，紀唯不禁想，這張照片對大哥而言想必意義珍貴，這兩人也一定是他過去重要的人。

目光在少年方佑霆的笑顏上駐留許久，紀唯慢慢將相框放了回去。

十點，方佑霆在修車廠收到紀唯傳來的訊息。

「大哥，我先回去了。」

「我已經在公車上，到家時再通知你。」

「昨晚我對叔叔不太禮貌，我會跟他道歉。備用鑰匙我先帶走，之後再還給你。」

「很抱歉讓你擔心，也給你添麻煩了。」

「眞的謝謝你，大哥。」

看完訊息，他離開修車廠，走到空地撥出電話。

「爸，紀唯剛剛聯絡我，說她已經先回去了。」

「那她的心情平復些了嗎？」沈父語帶憂心。

「嗯，應該沒事了，她有反省，還說回去會跟你道歉。」

沈父終於安心，「是嗎？太好了。眞是謝謝你，佑霆。」

「不會。紀唯很懂事，不管怎麼樣，我相信她都不會眞的生爸的氣。」

對方停頓一下，「紀唯還是沒有跟你說發生什麼事嗎？」

「嗯……沒有。」

「那爸告訴你吧，畢竟跟你有關。」

「咦？」

幾分鐘後，一輛藍色轎車駛進修車廠，大熊他們上前與車主打招呼，陣陣笑聲傳了過來。

方佑霆拿著手機，愣然站在原地不動。

「所以，紀唯才會這麼生氣。她認爲我只是在利用你應付她，絲毫沒考慮你的感受，沒想過你有可能因此受傷。」

父親的話，讓他的思緒一度停滯。

「大哥心裡對我都沒有一點點的憤怒、埋怨，或是憎恨嗎？」

「我的任性重重地傷害到你，對不起。」

直到現在，他才明白紀唯爲何會說出那樣的話。

「那個……」喉嚨忽地乾澀，他的聲音沙啞，「爸，對不起，我不知道紀唯爲什麼會……」

「你不必道歉，這次確實是爸爸做錯了。我很高興紀唯對我發脾氣，罵醒了爸爸，因爲這是她第一次主動對我說出眞心話。看到她爲你打抱不平，我很感動，這表示紀唯是眞的在乎你，非常爲你著想，完全把你視爲家人。」

他接著說：「紀唯沒有做錯什麼，你也沒有。爸爸很感謝紀唯，多虧她，我現在才能好好地跟我的寶貝兒子說說話。」

語落，沈父突然笑出聲，「看看我，眞的被紀唯她媽媽傳染了，不知何時也跟著她叫孩子『寶貝』。我昨天這樣叫佑嘉，他很驚恐地問我發生什麼事，呵呵呵。」

聽見父親的笑聲，方佑霆的嘴角也跟著牽動。

傍晚回到家，方佑霆一打開電燈，就被眼前景象弄得一愣。

整間屋子非常乾淨，似乎被徹底清掃過一遍。臥房裡的床鋪整理過，上頭放著幾件衣物，全是從陽台收進來的，每一件都好好地摺起，整齊地擺在一起。

客廳的暖爐桌上，放著一個袖珍型的盆栽，一張便條紙壓在盆栽底下——

「大哥，我早上去買東西時看到這個盆栽，送給你，希望你會喜歡。」

便條紙角落畫上了笑臉。

接著，方佑霆的目光落在一旁的紙鈔，是今早他留給紀唯的五百元——她沒有拿去花用。

他貼著牆坐下，拿起小盆栽端詳，凝視上頭的粉嫩花朵與葉子。

「這表示紀唯是眞的在乎你，非常爲你著想，完全把你視爲家人。」

「爸爸很感謝紀唯，多虧她，我現在才能好好地跟我的寶貝兒子説説話。」

方佑霆的眼角微微抽動了下。

他放下盆栽，隨即注意到電視機旁的不同。

紀唯也整理了電視機旁的擺設，書本靠著牆收好，讓相框擺在前頭，那三張笑臉清晰地映入眼簾。

他靜靜凝望著照片，感受到似曾相識的心痛。

（未完待續）

國家圖書館出版品預行編目資料

載著流星的人【紀念版】／晨羽著. -- 初版. -- 臺北市：POPO原創出版，城邦原創股份有限公司出版：英屬蓋曼群島商家庭傳媒股份有限公司城邦分公司發行, 2025.02
面；　公分. --
ISBN 978-626-7455-72-2（上冊：平裝）
ISBN 978-626-7455-73-9（下冊：平裝）

863.57　　113020083

載著流星的人【紀念版】（上）

作　　者／晨羽
責任編輯／黃韻璇　行銷業務／林政杰　版　　權／李婷雯

內容運營組長／李曉芳
副總經理／陳靜芬
總 經 理／黃淑貞
發 行 人／何飛鵬
法律顧問／元禾法律事務所　王子文律師
出　　版／POPO原創出版
城邦原創股份有限公司
台北市南港區昆陽街 16 號 4 樓
電話：(02) 2509-5506　傳眞：(02) 2500-1933
email：service@popo.tw
發　　行／英屬蓋曼群島商家庭傳媒股份有限公司城邦分公司
聯絡地址：台北市南港區昆陽街 16 號 8 樓
書虫客服服務專線：(02) 25007718．(02) 25007719
24小時傳眞服務：(02) 25001990．(02) 25001991
服務時間：週一至週五09:30-12:00．13:30-17:00
郵撥帳號：19863813　戶名：書虫股份有限公司
讀者服務信箱 email：service@readingclub.com.tw
城邦讀書花園網址：www.cite.com.tw
香港發行所／城邦（香港）出版集團有限公司
地址：香港九龍土瓜灣土瓜灣道86號順聯工業大廈6樓A室
email：hkcite@biznetvigator.com
電話：(852) 25086231　傳眞：(852) 25789337
馬新發行所／城邦（馬新）出版集團　Cité(M)Sdn. Bhd.
41, Jalan Radin Anum, Bandar Baru Sri Petaling,
57000 Kuala Lumpur, Malaysia.
電話：(603) 90563833　傳眞：(603) 90576622
email：services@cite.my

封面插畫／小河少年Kawa
封面設計／Gincy
電腦排版／游淑萍
印　　刷／漾格科技股份有限公司
經 銷 商／聯合發行股份有限公司
電話：(02)2917-8022　傳眞：(02)2911-0053

■ 2025 年2月初版　Printed in Taiwan

城邦讀書花園
www.cite.com.tw

定價／350元

ISBN　978-626-7455-72-2